D0727429

Saint Benoît

PRIER AVEC
Saint Benoît

Sous la direction de René Berthier,
textes choisis et présentés par
Marie-Hélène Sigaut
avec la collaboration de Pierre Dhombre.

fides
jean-pierre delarge

ISBN : 2-7621-1069-6
Dépôt légal : 4e trimestre 1980

SOMMAIRE

POUR PRIER AVEC LES BÉNÉDICTINS
ET LES CISTERCIENS

Si l'on veut connaître une ambiance bénédictine, partager la prière de moines ou de moniales, il existe de nombreux monastères qui disposent d'une hôtellerie d'accueil.

La liste de tous les couvents de bénédictins ou de cisterciens, de bénédictines ou de cisterciennes n'est pas donnée ici. Mais chacun peut écrire, pour avoir des précisions selon la région souhaitée, au :

COMITÉ PERMANENT DES RELIGIEUX

95, rue de Sèvres
75006 PARIS
Tél. : 222.77.84

ou au :

SERVICE DES MONIALES

Abbaye St-Louis du Temple
Limon-Vauhallan
91430 IGNY
Tél. : 941.00.10

LES MONIALES BÉNÉDICTINES

Abbaye Sainte-Marie-des-Deux-Montagnes
2803, chemin d'Oka
Cité des Deux-Montagnes
JON 1PO

ABBAYE SAINT-BENOÎT-DU-LAC

Saint-Benoît-du-Lac (Brome)
JOB 2MO

PRÉFACE

Il y aura toujours des moines, non pas que les monastères aient reçu de spéciales promesses de longue vie (et le nom seul des auteurs cités dans ce livre suffit à rappeler que les plus belles communautés ont eu leur déclin) mais, on peut le dire, il y aura toujours des moines, car le moine est l'homme élémentaire, il est ce qui dans l'homme ne saurait passer : besoin de silence, de respiration profonde, désir de comprendre le mystère des êtres, du temps. Comme les moines encore, tout homme vit du désir de communier, d'apprendre et de mettre en commun le meilleur de l'existence. Par ses racines tout homme est un moine et ce recueil de textes s'explique par là : il s'adresse non pas d'abord aux moines déclarés tels par leur appartenance à un monastère, mais au moine secret qui vit déjà dans l'enfant, ne cesse de croître avec les années même les plus intensément occupées ou celles plus désœuvrées de la vieillesse.

Ce livre a pour objet plus précis la prière, sujet banal par excellence car quel homme de quel âge et de quelle région s'affirmerait indifférent à la prière? Ce serait accepter l'indifférence à l'amour. La prière comme l'amour est à la base, elle est au cœur de l'existence humaine et les monastères, si naturellement ouverts à l'hôte venu prier, réfléchir ou demander de l'aide, ont là leur titre le plus vrai : maisons de Dieu. En cela ils sont, non pas et pas du tout le ciel sur la terre, mais la terre offerte à la lumière de Dieu et acceptant cette gravitation spirituelle qui explique tout le désir de l'homme : chercher Dieu, revenir à Dieu.

Saint Benoît ne dit que cela, les textes cités ici le redisent et chacun s'y retrouvera.

A propos des citations de saint Bernard, il nous est dit que

7

l'ordre cistercien, sobrement évoqué dans ce recueil, en mériterait un autre à lui seul et la chose est certaine : Citeaux fut et demeure, de saint Bernard à Thomas Merton, une lumière bénédictine intensément vivante. Il y aurait aussi la voix des moines non européens à faire entendre à propos du texte de saint Benoît devenu leur Règle (Règle et non pas règlement), sans parler des moniales, présentes ici mais si discrètes. Ce recueil est donc un choix. Mais il dit bien ce qu'auraient dit tels auteurs d'un autre âge et d'un autre monde, les uns et les autres d'ailleurs aimant l'anonymat et parlant plus volontiers du Christ que d'eux-mêmes. Quant aux moniales, c'est à propos de l'une d'entre elles, correspondante de saint Hugues de Cluny, que nous devons l'une des paroles les plus vraies qu'on puisse entendre, qu'il s'agisse de la prière, de la solitude ou de la communion : « Qu'elle revienne à la source ».

Et ce livre qui nous rapporte cette parole a la clarté d'une telle source.

fr. Denis HUERRE

AVERTISSEMENT

Cet ouvrage, « Prier avec Saint-Benoît », introduit — comme tous les autres ouvrages de la collection — à un maître spirituel et au grand courant de spiritualité qu'il a inauguré.

On y trouvera donc, transcrits dans un langage accessible à nos contemporains, un choix de prières et de textes tirés de la Règle de Saint-Benoît et de la Vie de Saint-Benoît, telle que l'a rédigée Grégoire le Grand, aussi bien que des extraits de commentaires de la Règle (Bède le Vénérable, Alcuin, Dom Marmion, Guy-Marie Oury...), d'autres commentaires de Grégoire le Grand, de la tradition des Moines de Cluny (Saint-Pierre d'Amiens...), des commentaires de la prière liturgique, de Saint-Anselme de Cantorbéry, des grands mystiques de la tradition bénédictine et cistercienne (Saint-Bernard, Saint-Gertrude...), ainsi que des textes postérieurs à Vatican II et marquant la vitalité de cette tradition.

Le VIᵉ siècle : « Un monde aux cheveux blancs »

Sous le soleil de mai, la Toscane en fleurs retrouve sa beauté. Le printemps chasse toujours l'horrible hiver. Mais les civilisations ne connaissent pas la floraison annuelle. Même riches de multiples chefs-d'œuvre et de noms illustres, même passionnément aimées, les civilisations sont mortelles. Ainsi en est-il de la « Romanité » à la fin du Vᵉ siècle.

Les Barbares sont installés à Rome et répandus dans tout l'Empire, et nul ne songe même à les en chasser. Ils ont un sang jeune, une énergie farouche, que les cœurs romains fatigués ont perdu. Certes leur roi Théodoric les maintient tranquilles. Des bandes de brigands parcourent encore la campagne. Mais dans la région, pillages et incendies se raréfient. Les Goths occupent un tiers des domaines, comme c'est légal. A part se battre, ils ne savent rien faire, et comment ne pas être peiné de voir les champs mal cultivés, les demeures mal entretenues ? Les Barbares ont certaines qualités, c'est vrai : le sens de l'honneur et de la parole donnée, la fidélité conjugale. Mais leurs chefs sont plus sales et brutaux que des esclaves. Ne parlons pas du langage ! Les plus instruits parlent un latin de bas étage. La tristesse se répand chez les plus lucides des nobles romains. On pressent la fin d'une époque : un évêque de Lyon, saint Eucher, n'a-t-il pas parlé d'un « monde aux cheveux blancs » ?

Le pire est que la vieille administration romaine se laisse aller à une bureaucratie envahissante. Les impôts sont écrasants : chacun est obligé de frauder le percepteur pour simplement survivre. Cette situation, bien entendu, encourage une inflation délirante que les édits de fixation des prix n'arrivent pas à endiguer.

Les campagnes saccagées et dépeuplées ne produisent plus assez. Et c'est misère de rencontrer tant de vagabonds en guenilles, tant de boutiques fermées dans les rues sans vie...

Dans cette ambiance, seule la foi chrétienne donne encore le courage de vivre. Dieu ne peut pas abandonner son Eglise. Mais les catholiques romains — qui ne sont pas sans faiblesses — sortiront-ils de cette épreuve, comme d'un baptême, aptes à bâtir la nouvelle cité de Dieu ? Dans la nuit, pourtant, certains l'espèrent.

Les évêques les encouragent. Ce sont les seuls, apparemment, qui montrent encore de la vigueur. Ce sont les seuls qui parlent au nom du peuple, défendent les pauvres, maintiennent quelque justice. Souvenons-nous du pape Léon le Grand : il a sauvé Rome des hordes d'Attila. De même saint Loup qui sauva Troyes. Et l'on sait le rôle joué par des évêques tels Remi à Reims, Aignan à Orléans, Césaire à Arles, Sidoine Apollinaire à Clermont. L'espoir de la chrétienté repose sur eux.

Ne nous étonnons donc pas que les croyants de cette époque — et jusqu'à la grande peur de l'an 1000 — expriment une certaine assurance. Ce sont des prières d'hommes humbles, mais «debout» devant Dieu.

Benoît :
de la solitude
à la paternité

C'est dans ce contexte de fin de civilisation qu'apparaît Benoît de Nursie. Au départ un homme seul. Issu d'une famille de petite noblesse de l'Italie centrale (sa naissance est habituellement datée de 480), il est envoyé à Rome pour y faire des études de droit et de rhétorique : les études précisément qui conduisaient aux hautes fonctions dans la capitale de l'Empire romain d'Occident.

Il semble bien que ces disciplines n'aient pas comblé la soif d'absolu du jeune Benoît. L'insatisfaction profonde devant un avenir sans horizon conduisit l'étudiant à abandonner ses livres, fuyant le milieu corrompu de la Rome décadente et renonçant du même coup aux biens paternels et au fonctionnarisme. Le voilà «au désert», lieu qui apparaît comme la véritable demeure humaine de Benoît. C'est la région aride de Subiaco qui l'accueille, dans la montagne, à quelque 70 kms de Rome. Le «père» de tant de communautés, au fil des siècles, va d'abord vivre comme un ermite. La solitude absolue ne lui fait pas peur. Adieu, nourrice, qui tenait près de lui le rôle sécurisant de mère. Adieu, femme entrevue dans la beauté de sa jeunesse, que Benoît perçoit comme un obstacle tentateur dans sa recherche de l'Absolu.

Mais, sur une terre d'humanité, comment pourrait-il à jamais fuir les vivants ? Non seulement parce qu'il «faut bien vivre» : un moine ami, saint Romain, veille fraternellement sur les besoins élémentaires de son voisin ermite. Mais Benoît, en ce temps déjà, n'était pas seul à fuir un monde décadent. Beaucoup même se disaient moines. Le premier chapitre de la Règle écrite par Benoît évoque sans faiblesse ces «diverses espèces de moines» : les cénobites, les ermites, les sarabaïtes. «Ces derniers n'ont d'autre loi que la satisfaction de leurs désirs. » Il y a aussi ceux qu'on appelle gyrovagues : « Sans cesse errants, jamais stables, esclaves de leurs passions, ils sont pires que les sarabaïtes ! »

Aucune illusion : les moines, dans cette époque sombre, n'étaient pas tous des petits saints ! Certains déserteurs de l'armée ou endettés insolvables prenaient l'habit comme on se rend à l'étranger : pour éviter les poursuites judiciaires. D'autres, traumatisés par la violence de ces temps de misère, gagnaient les forêts comme les clochards vont coucher sous les ponts. On trouvait parmi eux des sages et des illuminés, des brigands et des naïfs... Tous croyants, certes, mais souvent plus amoureux de fantaisie que de prière !

Ces marginaux se groupaient fréquemment par affinités, formant des « communautés » peu nombreuses et mouvantes : on allait et venait de l'une à l'autre aisément. On choisissait un chef qui sache régler les inévitables conflits... et procurer de quoi vivre. La survie : voilà le grand souci ! Quand la chasse ou la pêche ne donnent pas, comment faire ? Le travail de la terre est un pis-aller. Mendier est la seule issue. Et si les chrétiens manquent de générosité, on leur forcera un peu la main ! Les chapardages dans les caves et les poulaillers ne sont pas rares...

La première fois qu'on mène des hommes

C'est pourtant un petit groupe de ces indisciplinés, sans doute moins vagabonds, qui vient trouver Benoît. Les réputations se répandent vite dans le silence ou dans l'écho des montagnes. Ils apprirent peut-être qu'un homme cultivé, calme et de plus grande expérience qu'on ne l'eût soupçonné d'après son âge laissait monter vers Dieu une prière permanente dans le désert de Subiaco. Ils vinrent le trouver et le supplièrent de les aider dans leur velléités monastiques. Benoît allait-il se draper dans ses certitudes isolationnistes ou allait-il faire confiance à cette volonté humaine, qui pouvait véhiculer la volonté même de Dieu, car « la vie est la lumière des hommes » ? Il ne se fit pas longtemps prier et le voilà d'un coup, le « père », l'« abbé », qu'il restera pour les siècles à venir.

Qu'importe le détail des événements ? Nul ne s'étonnera, s'il connaît l'humaine condition, que ces premiers « frères et disciples » supportent mal la prééminence de Benoît : toute supériorité d'être et de comportement suscite la jalousie toujours, la haine parfois. L'ex-ermite de Subiaco n'évita ni l'une ni l'autre. Il dut même un jour quitter précipitamment ses commensaux : l'assassinat n'était pas rarissime dans les couvents de ce temps...

Mais Benoît ne retrouvera plus la solitude qui lui était chère. D'autres appels lui parviennent. Plus à sa portée cette fois : des jeunes, des hommes neufs se mettent à son école. Et plusieurs petits couvents de douze moines poussèrent sur la montagne de Subiaco.

Benoît, à travers les péripéties d'une vingtaine d'années, acquit une riche expérience des hommes. Elle ne lui sera pas inutile quand viendra l'heure de fixer pour l'avenir la « règle » d'une vie commune pour qui veut plaire à Dieu.

Bâtir un monde neuf

La montagne de Subiaco lui devenait-elle inhospitalière ? Ou, plus justement, fallait-il établir ailleurs le monastère de ses rêves ? Ailleurs, dans un lieu neuf, là où la volonté du maître, trempée par les années difficiles pourrait proposer un style de vie, pourrait imprimer sa marque...

La jalousie maladive d'un prêtre voisin va sonner le signal du départ. Benoît s'éloigne de Rome et marche vers le Sud. Le Mont-Cassin gardait le souvenir des religions païennes : statues, stèles et probablement quelques actes magiques. Il convenait de christianiser ce lieu, au demeurant si propice à la vie commune de solitaires courageux. Et d'abord bâtir : non pas certes l'énorme demeure qui s'effondra sous les pluies successives des bombes alliées au cours de la dernière guerre ; mais un ensemble de constructions modestes permettant à des frères d'être dans la proximité sans être dans la promiscuité. Les moines bénédictins n'oublieront plus l'importance de construire en même temps, tous et chacun, des bâtiments et une communauté : ciment des pierres, ciment des cœurs...

Le rayonnement d'une vie

La vie du Père, de l'Abbé du Mont-Cassin, était à son apogée : il ne restait qu'à mettre par écrit le trésor de sagesse accumulée. Benoît ne méprisa pas ce que d'autres avaient déjà rédigé : la pensée qui se coule dans une tradition vaut mieux que celle qui croit tout innover. Mais le père sut infléchir, dans une liberté créatrice, telle règle trop dure ; il sut corriger telle réflexion théologique qui provoquait la peur, non la crainte de Dieu ; il sut éclairer toutes ces prescriptions, majeures ou de détail, par la lumière puisée à la source, celle de la Parole de Dieu.

On ne trouvera pas dans ce livre toute la règle de saint Benoît : des pages, des chapitres entiers, ne concernent pas le chrétien d'aujourd'hui, ne peuvent plus même s'appliquer aux moines contemporains. Mais les extraits publiés feront pressentir peut-être la qualité spirituelle de ce témoin de Dieu.

Comment cet homme, dont toute la vie s'écoule entre Nursie, Rome, Subiaco et le Mont-Cassin, a-t-il pu devenir le patron de l'Europe ? Comment cette vie, si largement inconnue, allait-elle offrir un modèle pour toutes les générations monastiques et pour de si nombreux chrétiens ? On le doit sans doute à un pape : Grégoire le Grand et à un empereur : Charlemagne.

L'arbre

Grégoire le Grand

Il ne fut pas formé directement par Benoît. Il avait seulement 10 ans à la mort du saint, et se destinait à une carrière administrative. Il en atteint vite le sommet : il n'avait pas encore 30 ans qu'il fut nommé Préfet de Rome. Mais, après quelques années, il démissionna et se retira dans sa maison de Rome, transformée en couvent (St André-du-Coelius). La règle de Benoît y était connue, l'esprit bénédictin déjà présent. Le Pape de l'époque, Pélage II, ne laissa pas à l'ombre ce grand spirituel plein d'expérience humaine. Il en fit son légat, son secrétaire. A sa mort, le peuple de Rome choisit tout naturellement Grégoire pour lui succéder. Celui-ci dut accepter à contre-cœur, gardant toujours la nostalgie du cloître où, dans la paix, il pouvait chercher Dieu.

L'œuvre de Grégoire est immense. En 14 ans de pontificat (590-604), il réorganise l'Eglise de Rome, rebâtit les basiliques, distribue des vivres, contrôle la justice et les écoles, enseigne chaque dimanche, encourage la beauté des célébrations et codifie les rites, négocie avec les barbares, intervient par lettres en Espagne, en Gaule, en Afrique du Nord, envoie des missionnaires en Angleterre. Des missionnaires qu'il choisit parmi les moines de St-André-du-Coelius. Les premiers monastères anglais seront bénédictins ! C'est aussi par l'écrit que Grégoire devient le grand diffuseur des idées de Benoît. Vers 584, le monastère du Mont-Cassin a été rasé par les Lombards. Les moines se sont dispersés, répandant partout le souvenir émerveillé de leur maître. La Règle écrite de sa main a été précieusement gardée. Grégoire, grand admirateur de Benoît, recueille donc les récits existants. Il en fait le second chapitre de ses « Dialogues ». Ce sera un texte très lu dans tout l'Occident.

Charlemagne

En 817, un concile d'abbés venus de toute l'Europe se réunit à Aix-la-Chapelle. Il adopta une règle unique pour tous les monastères : celle de saint Benoît. Mais pour en arriver là, un long chemin fut parcouru.

Rome et Cantorbéry sont les deux foyers les plus anciens de vie bénédictine. En France, c'est Jouarre et surtout Fleury (St-Benoît-sur-Loire) depuis que les reliques de Benoît et de sa sœur Scholastique y ont été solennellement transportées vers 670-700. En Allemagne, la foi chrétienne fut apportée par un bénédictin anglais, Boniface (675-755 env.), qui édifia l'abbaye de Fulda. Ainsi, deux cents ans après la mort de Benoît, son esprit rayonne dans toute l'Europe.

Mais c'est sous Charlemagne (742-814) et sous son fils Louis le Pieux (778-840) que la Règle bénédictine connaît sa plus grande extension. Se voulant le père d'une civilisation nouvelle, l'empereur fit venir à la cour d'Aix-la-Chapelle, les savants les plus éminents : Alcuin, Paul Diacre, Theodulfe... tous moines bénédictins. Alcuin (735-804), un anglais, fut maître des études à l'école palatine d'Aix-la-Chapelle et à Marmoutiers (Tours). Il avait entrepris une adaptation de la Règle. Benoît d'Aniane (750-821), l'un de ses élèves, fut un véritable réformateur. Il écrivit un « coutumier » qui organisait la vie des monastères dans ses moindres détails.

Charlemagne dut apprécier ce travail, lui qui avait le sens inné de l'organisation. Mais c'est son fils Louis le Pieux qui réunit le fameux concile de 817, généralisant la Règle dans tout l'Empire. Les descendants spirituels de saint Benoît eurent ainsi une influence profonde sur la naissance de la civilisation européenne.

Cluny et les autres branches

Mais dès 817 arrivaient les envahisseurs normands, hongrois, sarrazins. Ils saccagèrent l'Occident. Les monastères, souvent prospèrent, furent les premiers pillés ! Sombre époque...

Malgré cela, en 910, apparaît Cluny. Une des heures les plus riches pour l'ordre bénédictin. Les grands abbés Odon, Odilon, Hugues, Pierre le Vénérable, sont à la fois d'authentiques spirituels, pratiquant une charité attentive envers les petits, et de véritables souverains. Ils voyagent, visitent et réforment de nombreuses abbayes qui deviennent leurs filiales, arbitrent des conflits entre papes et empereurs ! Les monastères, alors, fourmillent de vie. Ils ouvrent des écoles, transcrivent des manuscrits, mettent les terres en valeur, créent la prospérité d'une région. Leur élan spirituel fleurit dans l'art roman... Bref, ils engendrent une civilisation nouvelle.

Cluny va bientôt être contesté, à cause même de sa puissance. Certains moines se retirent au « désert », tandis que d'autres recherchent une nouvelle simplicité.

En Italie, Romuald (952-1027) et Jean Gualbert (+ 1073) commencent par être des ermites. Ils donnent naissance respectivement aux Camaldules et aux Vallombrosains. Robert de Molesmes (1025-1110) quitte son premier monastère, celui de Tonnerre, pour fonder Cîteaux, dans une grande solitude. C'est là que Bernard (1090-1153) passe ses premières années de vie monastique, avant d'aller fonder Clairvaux et de faire surgir l'ordre cistercien *. Au XIIe siècle, tandis que Cluny commence à décliner, on compte, rien qu'en France, 350 monastères cisterciens, dont 150 pour les femmes !

Du Concile de Trente à Vatican II

Après ces grands moments, l'ordre bénédictin va rester plus discret. Pendant et après la Réforme, c'est le temps où l'abbaye devient une source de revenus pour son propriétaire, qui n'est plus un moine. La vie monastique s'en ressentira forcément. Mais c'est aussi le temps des savants qui travaillent dans l'ombre des bibliothèques...

---

* L'importance de Bernard et de la spiritualité cistercienne est si grande qu'un ouvrage de la collection lui sera réservé ultérieurement.

Vient le Grand Siècle. Tandis que Mabillon (1632-1707) se livre à des travaux d'érudition dans son abbaye de St-Germain-des-Prés à Paris, l'abbé de Rancé entreprend de réformer son monastère de la Trappe en Normandie ; Austérité retrouvée, jeûnes, silence perpétuel... Les « trappistes » vont provoquer un nouvel élan spirituel jusqu'à la Révolution qui dispersera tous les moines.

Le XIXᵉ siècle est celui de la redécouverte du chant grégorien et de l'expansion missionnaire. Outre les abbayes de Solesmes et de la Pierre-qui-Vire, en France, des monastères vont naître en Amérique, en Afrique, en Asie. Une règle, vieille de 1500 ans reste capable d'animer des communautés de chrétiens récents !

Dans les dernières décennies, les fils et les filles de saint Benoît ont largement participé — parfois en précurseurs — aux grands mouvements de réforme qui ont abouti à Vatican II. Spécialement dans les domaines liturgique et œcuménique. Les abbayes des Dombes, de Chevetogne (pour les relations avec les orthodoxes), du Bec Helluin (pour les relations avec les anglicans), continuent de faire progresser l'unité des frères chrétiens encore séparés.

Règlement et esprit

Toute règle — et celle de saint Benoît ne peut y échapper — présente des aspects proches des «règlements administratifs», c'est-à-dire marqués par les lieux, la culture, l'époque : consignes trop précisément situées dans l'espace et le temps pour être vivables après 1500 ans. Mais la règle de Benoît, nous l'avons montré, a passé les siècles et s'impose encore par l'esprit qui l'anime. Un esprit dont moniales et moines bénédictins veulent témoigner, encore et toujours. On peut essayer de dégager quelques grandes lignes de la spiritualité selon Benoît de Nursie.

La paix

«La paix soit avec vous. Je vous donne ma paix» : ces paroles reviennent fréquemment dans la bouche de Jésus. La paix n'est-elle pas le premier vœu des anges du ciel dans la nuit de Bethléem, comme le premier souhait du Christ Ressuscité ? La bonne nouvelle nous annonce la réconciliation fondamentale, dans l'amour du Père.

C'est aussi la paix, celle du cœur, du langage, du regard, qui émane d'un vrai moine bénédictin (ou d'une moniale). La règle de Benoît n'a-t-elle pas pour but de permettre une vie pacifique à ceux qui connaissent une communauté de destin ? Pacifique et pacifiante sera cette vie, parce qu'équilibrée et reposant sur la confiance à Dieu et la confiance mutuelle. On vit dans la paix lorsqu'on sait le sérieux avec lequel chacun s'acquitte de sa tâche : les rôles bien distribués, supervisés par l'Abbé, laissent à chacun le loisir intérieur, nécessaire à la recherche de Dieu.

L'humilité

Benoît a-t-il connu spécialement le danger ? Celui de l'orgueil : suffisance de l'homme aux tout premiers temps, de l'Adam primitif ; instinct de domination en chacun de nous, à quelque étage social ou culturel qu'on se situe... La règle bénédictine appelle à l'humilité quotidienne, permanente. Certes, c'est sans doute la plus difficile des vertus. Un moine peut se croire humble personnellement et se laisser gagner par un orgueil collectif en raison de ce qu'il pense vivre un « état supérieur » dans l'Eglise. Un moine peut se croire humble et, recherchant l'humiliation, se laisser gagner par une délectation bien proche du masochisme ! Ces tentations du moine ne sont-elles pas aussi les nôtres ? Au monastère bénédictin, l'humilité peut être aidée, facilitée par l'acceptation, à tour de rôle et selon les heures, de tâches différentes, matérielles ou intellectuelles. La distinction entre les pères et les frères lais fut longtemps une déviation regrettable de la règle de saint Benoît. Le patricien romain ou le barbare wisigoth étaient à égalité dans les communautés de Subiaco ou du Mont-Cassin...

L'humilité est mise en œuvre aussi par la liturgie des heures, par l'« Opus Dei » : psalmodier ensemble, chanter ensemble, tous les jours et plusieurs fois dans chaque journée, c'est s'intégrer à un groupe, se couler dans une unique voix. L'esprit de vedettariat ne trouve guère son compte dans un couvent, parmi du moins les moines ou moniales sans responsabilité générale. L'humilité est sûrement plus difficile pour un maître des novices, pour une toute-puissante « Mère Abbesse »...

Etre humble, c'est d'abord pour un fils de saint Benoît se savoir dans la dépendance d'un Dieu Créateur, d'un Dieu Sauveur. Si bien que cette humilité n'est pas abaissement maladif, agenouillement d'esclave : en fait, la grandeur du Maître rejaillit sur la petitesse du serviteur. N'est-ce pas le secret d'une spiritualité bénédictine : être humble avec grandeur ?

L'équilibre

Il faut faire une place à part à l'équilibre humain, fruit de la règle de Benoît. Les moines ont aussi leurs « trois-huit ».

Non pas comme dans l'industrie, où il s'agit de faire tourner les machines 24 heures sur 24, et donc de mettre au travail trois équipes différentes pendant huit heures (les 3 × 8).

Dans la vie monastique, le principe général est de consacrer huit heures à la prière et à la lecture de la Parole de Dieu, huit heures au repos (nourriture, sommeil) et huit heures... au reste (travail, détente). Cette répartition du temps aboutit normalement à un équilibre humain très satisfaisant. Elle fait droit aux diverses tâches du moine. Elle le rend ni trop intellectuel ni trop englué dans le «matériel». La sagesse bénédictine y puise sa source. Beaucoup de non moines se retrouveraient heureux de ces fameux 3 × 8. Pour leur santé et pour leur moral !

La recherche de Dieu

Toute vie monastique doit être dominée par la recherche de l'Absolu. Que seraient paix et joie, confiance et humilité, équilibre et convivialité, si ce n'étaient conditions pour que moines et moniales puissent chanter en vérité (comme tout baptisé devrait pouvoir le faire) : «Voici la race de ceux qui te cherchent, qui poursuivent ta face, Seigneur» (Psaume 24, 6). On n'entre pas par effraction dans les secrets de Dieu, mais ce sont les passionnés de silence et d'intériorité qui s'emparent du Royaume, s'ils rejoignent les passionnés de la charité à qui tout sera donné. Rechercher Dieu, c'est, dans l'Eglise, la tâche plus spécifique du moine. Il n'en a pas l'exclusive. Mais il s'en donne les moyens. Au fil des ans, le voilà transformé par cette quête difficile de l'Absolu. Le mot même de «moine» vient du grec «monos» qui signifie «seul». La solitude, la bienheureuse solitude comme on dit dans le monde monastique, est caractéristique de cet état de vie. «Dieu et moi», disaient des hommes comme saint Augustin ou Newman. Chaque moine pense, lui aussi, que le seul grand problème de son existence consiste en la relation qu'il s'efforce d'entretenir avec Dieu même. Il cherche constamment le regard du Maître, ses appels, les signes de sa présence. Cette relation est exigeante, difficile, elle connaît ses moments de joie, et plus encore ses temps d'aridité. La sécheresse, l'absence de chaleur, de réconfort, dans la vie spirituelle du moine, conduit parfois jusqu'à une certaine angoisse sa recherche de Dieu. La paix pourtant peu à peu habite les meilleurs et imprègne leur visage même. Une paix de conquête, non de passivité.

Depuis l'origine, le témoignage d'une communauté monastique retentit auprès de tous les fidèles : ceux qui partagent à l'occasion la prière, l'office, d'un couvent ; ceux qui s'appuient, dans la communion des saints, sur l'intercession de ces « chercheurs de Dieu » ; ceux que fascinent et bouleversent (jusqu'à quel niveau spirituel, qui le sait ?...) telle musique grégorienne, telle architecture bénédictine, telle émission télévisée où l'on pressent un secret, un « mystère ». Les textes réunis en ce livre invitent tous à la recherche de l'Autre, de Celui qui est « plus intime à nous-mêmes que nous-mêmes ».

Interrogations

Saint Benoît n'eut jamais la prétention de réécrire l'Evangile, ni d'être la voix du Saint-Esprit. Par ailleurs, ses fils spirituels ont parfois « habillé » la Règle de coutumes, bonnes en leur temps mais quelque peu dépassées. Il est donc possible d'émettre quelques interrogations qu'un lecteur moderne attentif ne manquerait pas de se formuler à lui-même. Dominé par sa recherche de l'Absolu, le moine bénédictin est-il suffisamment évangélique ? La question est provocante et demande à être explicitée.

Le monachisme n'est pas propre au christianisme : on sait par exemple l'importance des moines au Thibet. Le monachisme chrétien a-t-il christianisé le monachisme en général ? Tout particulièrement a-t-il christianisé l'ascétisme si répandu chez certains passionnés d'Absolu ? Des historiens se demandent s'il n'y a pas eu un renforcement frénétique de l'expiation, en un temps, il est vrai, où la croyance chrétienne était hantée par la mort et où la piété se plaisait dans le dolorisme : « Les jeunes moines d'Erfurt, au temps où Luther partageait leur vie, se tuaient de macérations », écrit M. Bellet (1). « J'ai lu, sur le mur d'un cloître : Le plaisir de mourir sans peine vaut bien la peine de vivre sans plaisir ! Belle formule, et bien ambiguë. Elle peut exprimer plus de haine de la vie que d'amour de Dieu... D'autre part, l'importance extrême prise, par le

(1) Maurice Bellet : « Le Dieu pervers », DDB p. 174.

moine, aux temps si durs de notre collective enfance culturelle, le fait paraître comme le chrétien véritable, qui a su choisir Dieu, et Dieu seul : séparé du monde ; séparé de l'autre sexe, voué à la continence ; obéissant, par volonté d'obéir, au supérieur comme à Dieu même ; tout occupé de son salut et de l'attente de l'autre vie, la véritable.

Un tel modèle, et perçu de l'extérieur, et en opposition à toute « vie dans le monde », peut en venir à fonctionner comme insidieusement répressif : il paraît discréditer tout autre modèle d'existence, condamner, au moins comme faiblesse, tout ce qui paraîtra sexualité ou affirmation de soi. Le moine peut devenir la figure imaginaire, mais avec une trop réelle influence, de cette vie donnée à Dieu qui est un refus, une persécution absolue de ce que nous sommes. »

Le Christ n'a pas choisi d'être essénien, de vivre parmi les « moines » de son temps. Il y aura toujours une tension — bénéfique sans doute — entre les chercheurs de Dieu (dans le silence et la solitude) et les dévorés de charité (dans la communion et le partage fraternel).

Ne peut-on craindre également que le rôle éminent de l'Abbé ne revête une forme excessivement prépondérante ? En ce cas, le moine risque de tomber dans une passivité toujours regrettable. Il est plus difficile aujourd'hui qu'hier d'être « père », sans provoquer l'infantilisme, sans céder à l'une ou l'autre des formes si multiples du paternalisme. C'est Paul VI qui dans l'encyclique « Ecclesiam Suam » écrivait : « Pour être les pères des hommes, il faut se faire leurs frères. »

Aux temps troublés de Benoît, dans le contexte des fermes romaines que dominait le « pater familias » aux droits exorbitants, il semble que la mission confiée par la règle au « Père Abbé » * ait été nettement limitée et en partie contrôlée. Mais il reste que certains lieux ou certaines époques n'évitèrent pas l'autoritarisme de l'abbé, particulièrement lorsqu'il était trop jeune ou lorsque, vieillissant, il se prenait à vouloir tout régenter, jusque dans le détail.

Qu'importe, dira-t-on peut-être, ces nuances très généra-

---

* Ce qui est, comme on le sait, une tautologie, Abbas signifiant Père.

les par rapport à la richesse de la spiritualité bénédictine ? C'est
que toute déformation dans la prière retentit dans le comportement et vice-versa. La règle de Benoît, on l'a souligné, est une
merveille d'équilibre. Bien comprise, sans gauchissement vers
la passivité ou vers l'autoritarisme, elle engage à une vie dans
l'esprit, qui est paix et joie, douceur et tendresse, force et
piété, vigueur et confiance.

« Quoi de plus doux,
frères très chers,
que cette voix du Seigneur
qui nous invite ?
Dans sa bonté,
il nous montre lui-même
le chemin de la Vie » (Prologue de la Règle).

La vie
de saint Benoît

*L'auteur de la « Vie de Saint Benoît »,
le Pape Grégoire le Grand (540-604),
fut successivement préfet de Rome,
moine, légat et secrétaire de son prédécesseur.
C'est lui qui rassembla et commenta
au chapitre II de ses « Dialogues », les récits
déjà enjolivés de la vie de l'Abbé
du Mont-Cassin (voir p. 17).*

Il se tenait sans cesse
en présence de son Créateur

Il s'appelait Benoît : dès son enfance, son cœur fut celui d'un Ancien. Il ne vécut pas à la manière des jeunes de son âge, et ne livra son âme à nulle volupté.

Dédaignant l'étude des lettres, quittant la demeure et les biens de son père, à Dieu seul il voulut plaire : savant sans lettres, ignorant conduit par la sagesse, il se retira au désert, dans la solitude...

Benoît chercha une retraite dans un lieu désert appelé Subiaco, situé à environ quarante milles de Rome. Là jaillissent des eaux fraîches et limpides. Seul dans sa solitude bien-aimée, Benoît habita avec lui-même. Toujours attentif à veiller sur soi, il se tenait en présence de son Créateur, s'examinait sans cesse, ne laissant pas s'égarer au dehors le regard de son âme.

Ce qui est échec ici
devient fécond ailleurs

Dans l'âme des saints, il se passe souvent la chose suivante (qu'il ne faut pas taire) : en voyant leurs travaux sans succès, ils émigrent ailleurs pour travailler avec fruit. Telle fut la conduite de Paul, le prédicateur par excellence : son désir est de mourir pour être avec le Christ. Cependant, à Damas, il se trouva l'objet d'une persécution. Aussi chercha-t-il le moyen de s'évader. Un mur, une corde, un panier firent l'affaire. Il voulut qu'on le descendît secrètement. Dirons-nous que Paul redoutait la mort ? Non, puisqu'il la désirait pour l'amour de Jésus. Mais, voyant qu'en cette ville il obtenait peu de résultats, il se réserva pour un travail fécond en d'autres lieux.

Il en fut de même pour le vénérable Benoît (lorsqu'il quitta le monastère de Vicovaro où sa réforme avait échoué). Parce qu'il abandonna ces indociles, ce vivant ressuscita, en d'autres lieux, de nombreux morts spirituels.

Après avoir longtemps multiplié, dans sa solitude, les actes de vertu et les miracles, le saint y rassembla une nombreuse communauté au service du Dieu tout-puissant. Avec l'aide de Jésus Christ, il construisit là douze monastères, plaçant dans chaque monastère douze moines et un abbé de son choix. Mais il prit avec lui quelques disciples qu'il jugea préférable de former personnellement. Des Romains nobles et pieux commencèrent aussi à venir vers lui et lui confièrent leurs enfants à élever pour le Seigneur tout puissant. Ainsi, Evitius lui amena Maur et le patricien Tertullus Placide, deux jeunes pleins d'espoir. Maur, déjà très vertueux, devint pour son maître un auxiliaire. Quant à Placide, il n'était encore qu'un enfant.

Une intuition de l'amour paternel

Un jour que le vénérable Benoît se trouvait dans sa cellule, Placide s'en alla puiser de l'eau au lac. Sans précaution, il plongea dans l'eau la cruche qu'il tenait, et entraîné par elle, il tomba dans le lac. Il fut emporté aussitôt par le courant loin de la rive, presque à une portée de flèche. L'homme de Dieu dans sa cellule, soudain, eut connaissance du danger et s'empressa d'appeler Maur : « Frère Maur, dit-il, cours au lac, car cet enfant est tombé dedans, et déjà le courant l'a emporté. » Maur demanda et reçut la bénédiction, et obéissant à son abbé, s'en alla en toute hâte jusqu'au lieu où l'enfant avait été entraîné. Croyant avancer sur la terre ferme, il marcha sur l'eau, saisit l'enfant par les cheveux et s'en retourna rapidement.

Il avait à peine mis le pied sur la terre ferme que, revenant à lui, il regarda en arrière. Il se rendit compte qu'il avait couru sur les eaux. Ce qu'il n'aurait pas cru possible, il l'avait fait ! Il en trembla d'étonnement. A son retour, il raconta à son abbé ce qui s'était passé.

Benoît, ce saint homme, attribua la cause de ce fait, non à ses propres mérites, mais à l'obéissance de Maur ; celui-ci, au contraire, affirmait qu'elle était dans l'ordre de Benoît. Il n'était pour rien, il le savait, dans un prodige qu'il avait fait sans le savoir. Mais dans ce « match » amical de leur humilité réciproque, Placide, l'enfant sauvé, intervint en arbitre : « Quand on m'a tiré de l'eau, dit-il, c'est le manteau de mon abbé que je voyais au-dessus de ma tête. Et j'ai pensé que c'était lui qui me faisait sortir des flots. »

Benoît, nouveau Moïse

Trois des monastères construits par Benoît se trouvaient dans des grottes isolées, haut dans la montagne. Pour chercher de l'eau, il fallait descendre au lac. La pente était raide et dangereuse. Alors les frères de ces monastères vinrent dire à Benoît : *« C'est très pénible pour nous de descendre chaque jour au lac. Il faudrait déplacer le monastère. »* Benoît les encouragea doucement et les renvoya. La nuit suivante, avec Placide (qui était encore un enfant), il gravit la pente rocheuse et pria longtemps. Puis il marqua l'emplacement de sa prière en posant trois pierres l'une sur l'autre. Et il rentra au monastère à l'insu de tous.

Quand les frères revinrent lui parler de leurs difficultés, Benoît leur dit : *« Remontez. Et là où vous trouverez trois pierres superposées, creusez un peu. Le Dieu tout puissant est capable de faire jaillir l'eau, même au sommet de cette montagne. »* Ils s'en allèrent et trouvèrent le rocher indiqué. L'eau suintait déjà. Ils creusèrent. La source jaillit en abondance.

Aimez vos ennemis

Aux alentours de Subiaco, la région s'enflammait de l'amour du Seigneur Dieu, le Christ Jésus. Beaucoup abandonnaient la vie du monde et s'inclinaient sous le joug très doux du Sauveur.

Cependant, un prêtre d'une église voisine, Florentius, se mit à jalouser l'ardeur du saint homme (Benoît), à critiquer sa manière de vivre et même à déconseiller de lui rendre visite. Mais il ne pouvait empêcher son succès grandissant. Et Florentius était de plus en plus torturé par l'envie. (Florentius envoie d'abord à Benoît un pain empoisonné puis des danseuses nues pour troubler les moines, et leur faire abandonner le monastère. Alors, Benoît décide de partir.)

Le saint homme organisa tous les monastères qu'il avait fondés, il y établit des prieurs et leur adjoignit des frères. Puis, emmenant quelques moines avec lui, il décida de quitter ce lieu. Et l'homme de Dieu prit humblement la fuite devant la haine de cet homme. Celui-ci était sur sa terrasse quand on lui annonça le départ de Benoît. Et il manifesta une joie extrême. Mais alors la terrasse s'effondra ! L'ennemi de Benoît fut écrasé et mourut. Maur, le disciple de l'homme de Dieu, jugea qu'il fallait en informer aussitôt le vénérable père Benoît, qui n'était pas à plus de dix milles de là. *« Reviens, lui fit dire Maur, car il est mort, le prêtre qui te poursuivait de sa haine. »* A ces mots, Benoît se lamenta amèrement, non seulement pour la mort de son ennemi, mais parce que Maur en éprouvait de la joie. Aussi imposa-t-il une pénitence à son disciple qui avait osé se réjouir de la mort d'un ennemi.

Donnez et l'on vous donnera

A l'époque où la Campanie souffrait de la famine, l'homme de Dieu avait donné aux nécessiteux tous les biens du monastère. Il ne restait qu'un peu d'huile dans un flacon de verre. Alors un sous-diacre, nommé Agapit, vint en demander un peu. Et il insista. L'homme du Seigneur qui avait décidé de tout donner sur terre afin de tout retrouver dans le ciel, commanda de donner le peu d'huile qui restait. Le moine chargé du cellier entendit bien l'ordre, mais il tarda à l'accomplir. Peu de temps après, le saint demanda si le don prescrit avait été fait. Le moine répondit que non : s'il avait donné l'huile, il ne serait absolument rien resté pour les frères. Alors Benoît en colère ordonna de jeter par la fenêtre le flacon qui contenait un petit reste d'huile. Ainsi fut fait...

Alors il rassembla les frères et, devant tous les autres, il reprocha au moine désobéissant son manque de foi et son orgueil. Puis il se mit en prière avec les frères. Or, là où ils priaient, se trouvait un tonneau d'huile vide. Pendant que le saint homme continuait à prier, l'huile commença à monter dans le tonneau et souleva le couvercle. Elle monta encore et déborda, inondant le pavé où le saint était prosterné. Aussitôt qu'il s'en aperçut, Benoît, le serviteur de Dieu, mit fin à la prière et l'huile s'arrêta de couler. Alors il refit une longue semonce au frère. Celui-ci, après cette correction bénéfique, se mit à rougir. Car le vénérable Père montrait par ce signe la force du Dieu tout-puissant qu'il avait proclamée par la parole.

Et personne ne pouvait plus douter des promesses de celui qui, en un instant, avait rempli un tonneau d'huile, en échange d'un flacon presque vide.

Celle qui aimait davantage

La sœur de Benoît, le vénérable Père, s'appelait Scholastique. Consacrée dès son plus jeune âge au Seigneur tout-puissant, elle avait l'habitude de venir le voir une fois par an. L'homme de Dieu descendait à sa rencontre dans une dépendance du monastère, non loin de la clôture.

Ce jour-là, donc, ils passèrent toute la journée à louer Dieu et à parler de lui. La nuit tombée, ils prirent ensemble leur repas. Leur conversation se prolongea jusqu'à une heure tardive. Alors sa sœur, cette sainte femme, lui fit cette demande : *« Je t'en prie, ne me quitte pas cette nuit. Parlons plutôt jusqu'au matin des joies de la vie céleste. »* Mais il répondit : *« Que dis-tu là, ma sœur ? Rester hors du monastère ? Cela m'est impossible. »*

Le ciel était calme alors, et sans nuage. En entendant le refus de son frère, la sainte femme posa ses mains croisées sur la table et s'inclina, la tête entre les mains, pour prier le Seigneur tout-puissant. Quand elle releva la tête, les éclairs et le tonnerre se déchaînèrent violemment et la pluie devint un vrai déluge. Au point que ni le vénérable Benoît, ni les frères qui l'accompagnaient, ne purent mettre un pied dehors. La sainte femme avait répandu tant de larmes que la sérénité du ciel s'était changée en pluie.

Devant la violence de l'orage, le serviteur de Dieu comprit qu'il ne pouvait rentrer au monastère et se plaignit avec tristesse : *« Que le Dieu tout-puissant te pardonne, ma sœur ! Qu'as-tu fait ? »* Mais elle lui répondit : *« Eh bien, je t'ai prié, et tu n'as pas voulu m'écouter ; j'ai prié mon Seigneur et lui m'a entendue. »* C'est ainsi qu'ils passèrent toute la nuit à veiller, s'enrichissant mutuellement par le partage de leur vie spirituelle.

Il ne faut pas s'étonner que cette femme, désireuse de voir son frère plus longtemps, eût gain de cause. Car «Dieu est amour», selon le mot de saint Jean. Celle qui aimait davantage avait été la plus forte : ce n'était que justice.

Heureux les cœurs purs :
ils possèderont la terre

Les frères dormaient encore. Benoît, le serviteur de Dieu, aimait à veiller. Il devançait l'heure de l'office de nuit et, debout à la fenêtre, il invoquait le Seigneur tout-puissant. Soudain, au cœur de la nuit, il regarda au dehors et vit jaillir d'en haut une lumière. Splendide, plus éclatante que le jour, elle illuminait les ténèbres. Et Benoît, l'homme de Dieu, voyait le monde entier rassemblé, comme sous un seul rayon de soleil.

Comment le regard d'un seul homme peut-il embrasser le monde entier ? C'est que, pour l'être qui voit, si peu que ce soit, le Créateur, toutes les créatures lui apparaissent petites. La vision intérieure dilate, en l'éclairant, le fond de l'âme. Celle-ci s'élargit tellement en Dieu qu'elle se tient au-dessus du monde... Ce ne sont pas le ciel et la terre qui sont rapetissés, c'est l'esprit du « voyant » qui est dilaté.

Il mourut debout

L'année où il devait sortir de cette vie, le saint homme Benoît annonça le jour de sa mort à quelques disciples qui vivaient avec lui et à quelques autres qui habitaient plus loin. A ceux qui étaient présents, il demanda de garder le silence sur ce qu'ils venaient d'entendre.

Six jours avant sa mort, il fit ouvrir son tombeau. Peu de temps après, il fut saisi d'une forte fièvre qui l'épuisa. Il s'affaiblissait de plus en plus.

Le sixième jour, il se fit porter à l'oratoire par ses disciples et là, il reçut le corps et le sang du Seigneur pour se préparer au départ.

Au milieu de ses disciples qui, de leurs mains, soutenaient ses membres affaiblis, debout, les mains tendues vers le ciel, en priant, il rendit le dernier soupir.

Il vivait ce qu'il enseignait

L'homme de Dieu éclaira le monde par de nombreux miracles. Et son enseignement n'est pas le moins brillant. Il écrivit en effet la règle des moines, qui se distingue par sa mesure et ses formules lumineuses.

Si quelqu'un veut avoir une connaissance plus approfondie de son caractère et de sa vie, il pourra la trouver dans les dispositions de cette Règle. Car le saint homme était tout à fait incapable d'enseigner autrement qu'il ne vivait.

La règle
de saint Benoît

« Il ne vivait pas autrement qu'il n'enseignait »,
affirme le biographe de Benoît.
Reportons-nous donc à cette règle des moines,
écrite par le maître à la fin de sa vie.
Celui-ci y rassemble l'essentiel de ses convictions,
il y exprime les grands axes
autour desquels il a bâti son existence
et celle de sa communauté.

Quel est l'homme qui cherche la Vie ?

Ecoute, ô mon fils, l'invitation du Maître,
    incline l'oreille de ton cœur.
Recueille avec amour l'avertissement
    du Père qui t'aime,
    et par tes actes accomplis-le !
Ainsi tu reviendras par le labeur de l'obéissance,
    à celui dont t'avait éloigné
    la lâcheté de la désobéissance.
Levons-nous à cette invitation de l'Ecriture :
« Voici le temps de sortir du sommeil ».
Les yeux ouverts à la lumière divine et les oreilles attentives,
écoutons la voix qui nous crie :
    « Aujourd'hui, si vous entendez sa voix, n'endurcissez pas
vos cœurs. »
    Le Seigneur se cherche un ouvrier, parmi la multitude, et
lui crie avec insistance :
    « Quel est l'homme qui veut la Vie, qui aspire à voir
des jours de bonheur ? »
    Frères, quoi de plus attirant pour nous que cette voix du
Seigneur qui nous invite ?
    Voici que, dans sa tendresse, le Seigneur lui-même nous
montre la voie de la Vie !
    Armons-nous de la foi et de l'observance des bonnes
œuvres.
    Marchons sur le chemin où l'Evangile nous guide, pour
arriver à voir, dans son règne,
    Celui qui nous a appelés.

Comment marcher vers Dieu

D'abord, aimer le Seigneur Dieu de tout son cœur, de toute son âme, de toutes ses forces. Ensuite, aimer le prochain comme soi-même.

D'autre part, ne pas tuer. Pas d'adultère. Pas de vol. Pas de convoitise. Pas de faux-témoignage. Respecter tout homme. Et ne pas faire à autrui ce qu'on ne voudrait pas qu'il nous fasse. Renoncer à soi-même pour suivre le Christ. Maîtriser son corps, ne pas s'attacher aux plaisirs. Aimer jeûner. Apporter du réconfort aux pauvres. Vêtir celui qui est nu. Visiter les malades. Ensevelir les morts. Venir en aide à ceux qui sont dans le malheur. Consoler ceux qui sont dans la peine. Refuser les comportements mondains. Ne rien préférer à l'amour du Christ.

Ne pas se laisser emporter par la colère. Ne pas se réserver une heure pour la vengeance. Ne pas avoir de fausseté dans le cœur. Ne pas donner la paix si elle n'est qu'apparence. Ne jamais renoncer à la charité. Ne pas jurer au risque de se parjurer. Etre véridique, de cœur et de parole. Ne pas rendre le mal pour le mal. Ne faire injustice à personne, mais supporter avec patience celle qu'on nous fait. Aimer ses ennemis. Ne pas maudire ceux qui nous maudissent, mais plutôt les bénir. Soutenir persécution pour la justice.

Ne pas être orgueilleux... Ni adonné au vin. Ne pas trop manger. Ne pas être grand dormeur. Ni paresseux. Ne pas murmurer. Ni dénigrer.

Mettre en Dieu son espérance. Si nous constatons du bien en nous-même, l'attribuer à Dieu, non à nous. Le mal, savoir que nous seul l'avons fait et le réputer nôtre. Craindre le jour du jugement. Redouter d'être séparé de Dieu. Désirer la vie éternelle, de toute l'ardeur qui est en nous. Chaque jour, regarder la mort en face. A toute heure, garder le contrôle de ses actes. En tout lieu, tenir pour certain que nous sommes sous le regard de Dieu.

Directives pour le moine

Briser contre le Christ les pensées mauvaises qui nous viennent à l'esprit, et les dévoiler à notre Père spirituel. Garder sa bouche de tout propos mauvais ou inconvenant. Ne pas aimer parler beaucoup. Ne pas parler pour ne rien dire ou pour faire rire. Ne pas aimer rire beaucoup ni rire aux éclats. Ecouter volontiers les lectures saintes. S'adonner fréquemment à la prière. Avouer chaque jour à Dieu ses fautes passées dans une prière de plainte et de gémissement. Se corriger en outre de ces mêmes fautes.

Ne pas donner suite aux désirs de la chair. Haïr sa volonté propre. Obéir en tout aux ordres de l'Abbé, quand bien même (à Dieu ne plaise!) il agirait autrement. Se souvenir alors du précepte du Seigneur : «Ce qu'ils disent, faites-le ; mais ne faites pas ce qu'ils font» (Mat 23/5). Ne pas vouloir être appelé saint avant de l'être, mais l'être d'abord : qu'ainsi on puisse le dire en vérité.

Accomplir dans la vie quotidienne les commandements de Dieu. Aimer la chasteté. Ne haïr personne. N'avoir ni jalousie ni envie. Ne pas aimer la contestation. S'élever avec orgueil ? non, se tenir loin de cela. Respecter les anciens. Aimer les jeunes. Par amour du Christ, prier pour ses ennemis. En cas de dissension, rétablir la paix avant le coucher du soleil. Ne jamais désespérer de la miséricorde de Dieu.

Ainsi on atteint l'art spirituel.

C'est ta volonté que j'aime, Seigneur

Le premier degré de l'humilité est l'obéissance sans délai. Elle caractérise ceux pour qui rien n'est plus précieux que le Christ.

Par fidélité à leur service qui est sacré, par crainte d'être séparés de Dieu, pour la gloire de la vie éternelle, dès qu'un supérieur donne un ordre, ils n'imaginent même pas qu'un délai dans l'éxécution soit admissible : comme si Dieu même leur donnait cet ordre.

Le Seigneur parle de ce type d'hommes en ces termes : « A peine m'a-t-il entendu, déjà il m'a obéi » (Psaume 17/45). Et de ceux qui ont reçu mission d'autorité, il dit : « Qui vous écoute, m'écoute » (Luc 10/16).

De tels hommes laissent aussitôt leurs occupations personnelles et ne se crispent pas sur leur volonté propre. Vite, les mains libres, ils laissent inachevé ce qu'ils faisaient. Ils cheminent selon l'ordre reçu et agissent en conséquence. C'est pour ainsi dire au même moment que l'ordre du maître est prononcé et que l'œuvre du disciple est accomplie, avec une même promptitude. La crainte de Dieu les rend agiles, son amour les presse de progresser vers la vie éternelle. Ils choisissent cette voie resserrée dont le Seigneur dit : « Etroite est la voie qui mène à la vie » (Matthieu 7/14). Ils ne vivent plus à leur gré, ils n'obéissent plus à leurs désirs ni à leurs plaisirs, mais ils marchent selon le jugement, selon le commandement d'autrui. Ils ne souhaitent, dans leur monastère, que de passer leur vie sous la responsabilité du Père Abbé. Sans nul doute, ils imitent le Seigneur qui s'exprimait

42

ainsi : « Je ne suis pas venu faire ma volonté, mais la volonté de celui qui m'a envoyé » (Jean 6/38).

Mais cette même obéissance ne sera agréable à Dieu et douce aux hommes que si l'ordre donné est accompli sans agitation, sans retard, sans tiédeur, sans mumure, sans contestation. L'obéissance qu'on rend aux supérieurs est en fait rendue à Dieu même. Le Seigneur a dit en effet : « Qui vous écoute m'écoute » (Luc 10/16). Il convient que le témoignage d'obéissance soit donné de bon cœur, car « Dieu aime qui donne avec joie » (2 Corinthiens 9/7).

Si c'est de mauvaise grâce que le disciple obéit, s'il murmure non seulement de bouche mais même simplement de cœur, il a beau accomplir l'ordre, il n'est pas agréable à Dieu qui voit le murmure en son cœur. Une telle attitude ne lui mérite aucune grâce. Bien plus, il encourt la peine due aux contestataires s'il ne se corrige, s'il ne fait pas réparation.

Se présenter sans masque devant Dieu

La parole de Dieu nous fait entendre ce cri : « Quiconque s'élève sera humilié, et celui qui s'humilie sera élevé » (Luc 18/14). En effet, l'Ecriture nous le montre : s'élever, c'est un acte d'orgueil. Le Prophète nous apprend qu'il ne se laisse pas aller à cela : « Seigneur, dit-il, mon cœur ne s'est point exalté, mes yeux ne se sont point élevés ; je n'ai pas marché sur des chemins prétentieux, ni recherché des merveilles qui me dépassent » (Psaume 130/1).

Si nous voulons atteindre le sommet de l'humilité, il nous faut dresser cette échelle qui apparut à Jacob durant son sommeil et sur laquelle il voyait des anges descendre et monter. Cette descente et cette montée n'ont pas pour nous d'autre sens, sinon qu'on descend par orgueil et qu'on monte par humilité. Car cette échelle dressée, c'est notre vie en ce monde, que le Seigneur dresse vers le ciel quand on s'humilie de cœur. Les deux montants de cette échelle, ce sont, selon nous, notre corps et notre âme. Dieu nous appelle à gravir les divers degrés de l'humilité, et de vie droite, qui sont disposés sur ces montants.

Ainsi donc, le premier degré de l'humilité, c'est la crainte de Dieu. Un moine doit la maintenir constamment devant ses yeux. Il n'aura garde de l'oublier. Il aura toujours en mémoire les commandements de Dieu. Il repassera souvent en son esprit le risque d'être à jamais séparé de Dieu s'il le méprise et il méditera la grâce de lui être à jamais uni s'il le respecte. Il se préservera à toute heure des péchés et des vices qu'on commet par la pensée, la langue, les yeux, les mains, les pieds, par la volonté propre, par la faiblesse de céder aux désirs de la chair.

Que l'homme se sache regardé d'en haut par Dieu continuellement. En tout lieu, ce qu'il fait est vu par le regard divin, et à tout instant exprimé par les anges. Le Prophète nous le fait entendre lorsqu'il nous montre Dieu toujours présent à nos pensées : «Dieu, dit-il, scrute les reins et les cœurs» (Psaume 7/10). Et encore : «Le Seigneur connaît les pensées des hommes, il sait qu'elles sont vaines» (Psaume 93/11)...

Pour ce qui est de la volonté propre, l'Ecriture nous défend de la suivre : «Détourne-toi de tes volontés» est-il écrit (Ecclésiastique 18/30). Et nous demandons à Dieu dans la prière que sa volonté soit faite en nous (Matthieu 6/10).

Quant aux désirs de la chair, souvenons-nous du regard permanent de Dieu. Car le Prophète dit au Seigneur : «Devant vous sont tous mes désirs» (Psaume 37/10). Il faut donc se garder du désir mauvais : la mort est placée à l'entrée même du plaisir. D'où le commandement de l'Ecriture : «Ne marche pas à la suite de tes convoitises» (Ecclésiastique 18/70).

Paroles inutiles

Faisons ce qu'indique le Prophète : « J'ai dit : je veillerai sur ma conduite pour ne pas pécher en paroles. J'ai placé une garde à ma bouche. Je suis devenu muet, je me suis humilié et j'ai gardé le silence, même sur les choses bonnes » (Psaume 38/2-3). Ainsi le Prophète le montre : par amour du silence, on doit parfois taire même ce qui est bien. A plus forte raison, on doit éviter les paroles mauvaises, à cause de la peine qui suit le péché.

Et donc, même s'il s'agit de conversations bonnes, saintes et édifiantes, quand on sait l'importance du silence, on n'accordera que rarement à des disciples parfaits la permission d'avoir de tels entretiens. Car il est écrit : « Si tu parles beaucoup, tu n'éviteras pas le péché » (Proverbe 10/19). Et ailleurs : « Mort et vie dépendent de la langue » (Proverbe 18/21). Au maître, il revient d'enseigner ; au disciple de se taire et d'écouter.

C'est pourquoi, s'il est nécessaire de demander quelque chose au supérieur, on le fera avec humilité, respect et sobriété.

Quant aux bouffonneries, aux paroles inutiles, à celles qui soulèvent le rire, nous les condamnons à une universelle et perpétuelle prison ! Pour de telles paroles, nous ne permettons pas au disciple d'ouvrir la bouche.

Heureux ceux qui souffrent violence pour le royaume

Le second degré de l'humilité consiste à ne pas aimer sa volonté propre et à ne pas se complaire dans l'accomplissement de ses propres désirs ; mais plutôt à imiter en actes le Seigneur qui disait : « Je ne suis pas venu faire ma volonté mais la volonté de celui qui m'a envoyé » (Jean 6/38). Et il écrit également : « La part du plaisir, c'est la peine ; le fruit de la contrainte, c'est la couronne. »

Le quatrième degré de l'humilité consiste, en obéissant de cette manière, à se garder patient et silencieux, même si les circonstances sont dures, même si les contrariétés et les injustices nous assaillent. Il convient de supporter tout sans se lasser ni s'évader. L'Ecriture en effet précise : « Qui persévérera jusqu'à la fin, celui-là sera sauvé » (Matthieu 10/22). Et encore : « Que ton cœur s'affermisse et sache attendre le Seigneur » (Psaume 26/14). Le serviteur fidèle doit souffrir pour le Seigneur toutes choses, même celles qui sont répugnantes. Pour nous en convaincre, l'Ecriture dit en la personne de ceux qui souffrent : « C'est pour vous, Seigneur, que nous sommes livrés à la mort durant tout le jour ; nous sommes considérés comme des brebis destinées à la boucherie » (Psaume 43/22)... La patience dans les adversités et les injures accomplit le précepte du Seigneur : si on te frappe sur une joue, présente l'autre ; si on t'enlève ta tunique, abandonne ton manteau ; si on t'oblige à faire un kilomètre, fais-en deux (Matthieu 5/39-41).

Accorder son cœur à sa voix

Nous croyons que Dieu est présent partout. Soyons certains qu'Il l'est tout spécialement lorsque nous prenons part à l'office divin (1). Voyons donc comment nous devons nous tenir en présence de la divinité et de ses anges, et chantons les psaumes de telle sorte que notre cœur soit accordé à notre voix.

Qu'on ne préfère rien à l'œuvre de Dieu (2).

Quand l'œuvre de Dieu est terminée, que les frères sortent dans un profond silence et le respect de Dieu. Si quelqu'un veut rester pour prier seul, que les autres ne gênent pas son recueillement. Et celui qui prie, qu'il le fasse du fond du cœur, mais sans éclats de voix. Sinon, on ne lui permettra pas de rester à l'Oratoire, car il risquerait d'en gêner un autre.

Prions avec sobriété

Si nous avons une faveur à demander à un homme du pouvoir, nous ne l'abordons qu'avec humilité et respect. Combien plus nous faut-il offrir nos prières en toute humilité et droiture de cœur au Seigneur Dieu de l'univers ! Et souvenons-nous que la multitude des mots ne nous fera pas exaucer, mais la pureté du cœur et les larmes de la sincérité. La prière doit donc être brève et simple, sauf si, par une inspiration de la grâce, nous nous sentions portés à la prolonger. Cependant, en communauté, il convient qu'on la fasse très courte. Et lorsque le Supérieur en indique le terme, que tous se lèvent en même temps.

(1) La prière des heures : matines, vêpres, etc.
(2) Toutes les célébrations liturgiques.

L'Abbé :
portrait de celui qui détient un pouvoir

L'abbé doit toujours se rappeler le nom qu'on lui donne (Père), et en avoir le comportement. Car nous croyons qu'il tient dans le monastère la place du Christ, puisqu'il est appelé de son nom, selon le mot de l'Apôtre :

«Vous avez reçu, comme des fils, l'Esprit d'adoption en qui nous crions : Abba, Père ! »

L'abbé ne fera pas de différences entre les personnes dans le monastère. Il ne préférera pas l'un à l'autre, si ce n'est le généreux, le plus humble. Il ne préférera pas l'homme libre à l'ancien serf ; car, libres ou esclaves, nous sommes tous un dans le Christ (1e Corinthiens 12, 13) et nous faisons le même service pour le même Seigneur.

L'abbé se rappellera sans cesse qu'il sera beaucoup demandé à celui qui a beaucoup reçu. Il se souviendra aussi qu'il est difficile et ardu, l'art de conduire les âmes. L'un a besoin de douceur, un autre de réprimande, un autre encore de persuasion.

L'abbé doit toujours réaliser que c'est un fardeau qu'il a pris sur lui, et penser au Maître à qui il devra rendre compte. Qu'il sache qu'il lui faut être utile,

plutôt que présider...
versé dans la loi divine,
capable d'en tirer
du neuf et de l'ancien...
détestant le vice,
aimant les frères,
se défiant toujours
de sa propre fragilité,
et se souvenant
de ne jamais broyer
le roseau cassé.

Chercher la brebis égarée

L'abbé se préoccupera des frères qui sont tombés, car ce sont les malades qui ont besoin du médecin, et non les bien-portants (Matthieu 9, 12). Comme un sage médecin, il usera donc de toutes sortes de moyens. Il enverra, pour consoler l'excommunié (1), des frères sages et âgés. Ils le réconforteront et l'engageront discrètement à prouver sa bonne volonté. Surtout ils le consoleront car il ne faut pas que le fautif tombe dans une tristesse excessive. Mais, comme dit l'apôtre, « il faut que la charité redouble à son égard » et que tous prient pour lui.

Ainsi l'abbé mettra tous ses soins, son adresse, son imagination à éviter la perte des brebis qui lui sont confiées. Qu'il imite l'exemple du bon Pasteur qui s'en alla à la recherche de la brebis égarée, laissant les 99 autres sur la montagne. Et il fut si touché de sa faiblesse qu'il daigna la charger sur ses épaules sacrées et la ramener ainsi à la bergerie.

(1) Celui qui avait commis une faute grave était mis moralement en dehors de la Communauté : il devait travailler, manger, prier seul, à part.

Profil d'un bon gestionnaire

Le cellérier (1) du monastère sera choisi dans la Communauté. Ce doit être un homme mûr, sage et sobre ; ni hautain ni agité, ni blessant ; ni lent ni prodigue, mais craignant Dieu et paternel. Qu'il prenne soin de tout, mais suivant les directives de l'abbé, et ne s'immisce pas dans les affaires qui ne sont pas de son ressort. Qu'il s'occupe tout particulièrement des infirmes, des enfants, des hôtes et des pauvres.

Qu'il regarde tous les biens du monastère avec le même respect que les objets sacrés. Qu'il ne néglige rien, mais gère toute chose avec mesure. Qu'il donne aux frères leur part habituelle, sans dédain et sans délai, de peur qu'ils n'en soient heurtés. Si la communauté est nombreuse, on lui donnera des aides pour le soulager dans son travail. Ainsi il pourra remplir son office avec un esprit plus tranquille.

Personne ne doit être troublé ni contristé dans la maison de Dieu.

(1) L'intendant.

Ils n'avaient qu'un cœur et qu'une âme

Que les moines se préviennent d'honneur les uns les autres.

Qu'ils supportent entre eux, avec une extrême patience, leurs infirmités, tant physiques que morales.

Qu'ils s'obéissent à l'envi les uns les autres.

Que nul ne cherche ce qu'il croit lui être avantageux, mais plutôt ce qui l'est à autrui.

Qu'ils s'acquittent sans tricher du devoir de l'amour fraternel.

Qu'ils n'aient pas de jalousie, ne cèdent pas à l'envie, ni à la contestation.

Que les frères se servent mutuellement.

Qu'ils respectent les anciens et qu'ils aiment les jeunes.

Que tout soit commun à tous.

J'étais un étranger et vous m'avez reçu

Tous les hôtes qui surviennent au monastère doivent être reçus comme le Christ. Car lui-même dira un jour : « J'étais un étranger, et vous m'avez reçu. »

Que l'on rende à chacun l'honneur qui lui est dû, surtout aux serviteurs de Dieu et aux pèlerins.

Dès qu'un hôte est annoncé, le supérieur et les frères iront l'accueillir avec une charité toute prête au dévouement...

Que l'on consacre une sollicitude spéciale à la réception des pauvres, car c'est surtout en eux qu'on reçoit le Christ.

Quant aux riches, la crainte qu'ils inspirent appelle d'elle-même les honneurs...

A la porte du monastère, on placera un vieillard sage qui sache recevoir ou rendre une réponse... Que les arrivants le trouvent toujours présent pour leur répondre.

C'est par des sages que la maison de Dieu doit être administrée avec sagesse.

La règle est un commencement

Pour qui se hâte vers la perfection de la vie monastique, il y a la doctrine des saints Pères, dont la pratique conduira l'homme aux sommets de la perfection.

Quelle page, en effet, quelle parole d'autorité divine, de l'Ancien ou du Nouveau Testament, ne constitue pas la règle très sûre de la vie humaine ?

Quel livre des saints Pères catholiques n'enseigne clairement le droit chemin, qui mène à notre créateur ?

Et toi, qui te hâtes de marcher vers la patrie du ciel, accomplis d'abord avec l'aide du Christ, cette ébauche de règle que nous avons tracée.

Ensuite seulement tu pourras arriver, avec la protection de Dieu, aux sommets les plus élevés de la connaissance et de la sainteté.

Les commentaires de la règle

*Les fils spirituels de Benoît
ont abondamment commenté cette règle
au long des siècles.
Plus largement,
ils ont lu et approfondi les Ecritures,
où la règle puise sa sève.
Voici, parmi beaucoup d'autres,
quelques-uns de ces commentaires,
anciens et modernes.*

Le sermon sur les béatitudes

Boniface (675-754) quitta son monastère anglais pour évangéliser la Germanie. Il devint archevêque de Mayence, et fonda l'abbaye de Fulda.

Le Seigneur a promis la béatitude du royaume des cieux à ceux qui gardent ses préceptes...

«Bienheureux les doux, car ils posséderont la terre» (Matthieu 5, 4). Dieu est bon et il nous accorde tout ce qui est nécessaire ; il le fait pour que, nous aussi, nous soyons doux et bienveillants envers le prochain et que nous fassions toujours de bon cœur tout le bien que nous pouvons... Les doux posséderont la terre, non pas cette terre périssable, toute remplie de cadavres, si souvent opprimée par l'orgueil, et souillée par des guerres sanglantes, mais la terre que posséderont les doux est celle... où habitent les anges et les âmes des saints, où la joie est éternelle et le bonheur sans fin.

«Bienheureux ceux qui ont faim et soif de la justice» (Matthieu 5, 6). Bienheureux, non pas tous ceux qui ont faim et soif, mais ceux-là seulement qui ont toujours faim de justice. Or nous devons avoir faim de justice de manière à ne jamais nous estimer assez justes... En effet, celui qui s'imagine posséder assez de justice n'a pas faim de la justice, mais il s'enorgueillit, et il tombera vite. L'humble, au contraire, ira toujours de vertu en vertu et il a sans cesse la joie de faire des progrès.

«Bienheureux les miséricordieux, car ils obtiendront miséricorde» (Matthieu 5, 7). Nous souhaitons vivement que Dieu nous remette nos fautes quand nous faisons pénitence. Eh bien ! nous devons de même remettre ses dettes au prochain qui nous en prie... Les miséricordieux obtiendront en effet miséricorde. Si nous remettons aux hommes leurs offenses, notre Père céleste, lui aussi, nous remettra nos péchés.

« Bienheureux ceux qui ont le cœur pur, car ils verront Dieu » (Matthieu 5, 8). Ils auront le cœur pur, ceux qui chasseront de leur cœur toute malice, toute fourberie, toute haine et désir malsain, et purifieront leur conscience par la charité, la chasteté, la justice et les autres saintes vertus, afin d'être capables de voir Dieu dans le royaume céleste. Car Dieu ne veut pas habiter dans un corps souillé par les péchés ; purifions-nous donc de toute souillure de la chair et de l'âme, afin que Dieu habite en nos cœurs et nous dispose à toute action bonne...

« Bienheureux les pacifiques parce qu'ils seront appelés enfants de Dieu » (Matthieu 5, 9). Nous devons rechercher la paix, de manière à l'établir d'abord entre Dieu et nous-mêmes, en suivant ses commandements et en fuyant le mal qui lui est odieux. Nous devons ensuite travailler à la paix entre nos proches, si nous les voyons en désaccord. C'est par la paix que nous sommes appelés enfants de Dieu...

Nous ne sommes pas dignes d'être les serviteurs de Dieu, et nous sommes appelés ses fils. Appliquons-nous donc à mériter nous-mêmes, par nos bonnes actions, d'être dignes d'un si grand héritage, et ne nous séparons pas d'un Père si tendre, qui a daigné nous admettre au rang de ses fils.

« Bienheureux ceux qui souffrent persécution pour la justice, car le royaume des cieux est à eux » (Matthieu 5, 10). Le Christ, Fils de Dieu, a enduré pour nous supplices et outrages, et à la fin il a accepté, pour nous, la mort elle-même ; nous devons donc, nous aussi, supporter patiemment, pour son nom, toutes les contrariétés, car c'est par de nombreuses épreuves que nous entrerons dans le royaume de Dieu, si nous les supportons à cause de la justice.

Prière au moment du martyre

Boniface et ses compagnons furent massacrés par les Frisons à qui ils annonçaient l'Evangile.

Ne combattez pas, mes enfants, ne faites pas la guerre à nos adversaires...

Voici le jour si longtemps désiré, voici venu l'heureux moment où nous sommes invités à passer des chagrins de ce monde aux joies de la béatitude éternelle. Pourquoi voulez-vous écarter de nous et nous dérober une telle grâce, une telle gloire ? Bien plutôt, soyez forts dans le Seigneur et laissez-nous recevoir avec joie les dons que nous offre la grâce divine. Espérez seulement dans le Seigneur et il nous délivrera de tous dangers...

O mes frères très chers, montrez maintenant si vous avez quelque souci de l'amour de Dieu... Jetez en Dieu l'ancre de votre espérance, car, après le court délai de cette vie, il vous donne, comme prix de la victoire, d'être associés aux citoyens du ciel. N'allez pas perdre, en cette heure si brève, le fruit des longues luttes d'une âme jamais vaincue ; ne vous laissez pas prendre par les flatteries perverses des païens, mais dans le péril soudain d'une mort désormais imminente pour nous, tenez bon avec une constance virile, par amour pour celui qui a souffert pour nous, afin de pouvoir communier éternellement avec lui dans la joie.

Tu m'as donné le goût de ta Parole

Contrairement à Boniface, Bède le Vénérable (672 env.-735) passa toute sa vie entre les murs de son monastère, à étudier et à enseigner. Poète, historien, il est le premier homme de lettres anglo-saxon. C'est en se présentant lui-même qu'il commence son « Histoire de la nation anglaise ».

Celui qui a étudié toute sa vie la Parole de Dieu espère contempler Celui qui a parlé.

Moi, Bède, serviteur du Christ et prêtre au monastère Saints-Pierre-et-Paul de Wearmouth et Jarrow, je suis né sur le territoire de ce monastère. A l'âge de sept ans je fus confié par ma famille au révérendissime abbé Benoît (Biscop) pour y être éduqué. J'ai passé ma vie entière dans les murs de ce monastère. Je m'y suis adonné à la méditation des Ecritures, m'efforçant d'être fidèle aux observances de la règle, et au chant quotidien de l'office de l'église. C'est une joie pour moi d'avoir été chaque jour occupé à étudier, à enseigner ou à écrire.

Jésus, toi qui es bon, je t'en supplie. Tu m'as donné le goût de scruter les paroles qui te font connaître. Donne-moi aussi dans ta bonté de parvenir un jour jusqu'à toi, source de toute sagesse, et de me tenir éternellement devant ta face !

Apprendre à aimer

De Bède : Sur l'évangile de Luc.

« Lequel de ces trois, à ton avis, s'est montré le prochain de l'homme tombé aux mains des brigands ? » Il répondit : « Celui qui a pratiqué la miséricorde à son égard » (Luc 10, 37). Au sens littéral, l'affirmation du Seigneur est claire : personne n'est davantage notre prochain que celui qui se montre miséricordieux. Pour cet homme de Jérusalem, ce n'est ni le prêtre ni le lévite, pourtant de la même race et de la même ville par la naissance et l'éducation, mais c'est un passant d'une race étrangère qui est devenu son « prochain », parce qu'il s'est montré plus miséricordieux. A cela il y a un sens plus mystérieux : comme personne n'est davantage notre prochain que celui qui a guéri nos plaies, nous avons à l'aimer comme le Seigneur notre Dieu, nous avons à l'aimer comme notre prochain. Rien, en effet, n'est plus proche des membres que la tête.

Aimons aussi celui qui est l'imitateur du Christ. C'est le sens de ce qui suit : « Va, et toi, fais de même ! » Pour montrer que tu aimes vraiment ton frère comme toi-même, fais avec ardeur tout ce que tu peux pour soulager même sa détresse spirituelle.

« En cours de route, il entra dans un bourg, et une femme du nom de Marthe le reçut chez elle ; elle avait une sœur appelée Marie » (Luc 10, 38-39). La raison pour laquelle cet épisode se relie au précédent est très belle : le premier montre ce qu'est l'amour de Dieu et du prochain en paroles et en paraboles. Le second dans des faits et dans la réalité.

En effet, ces deux sœurs aimées du Seigneur désignent les deux formes de vie spirituelle pratiquées ici-bas par la sainte Eglise : Marthe, la vie active où la charité nous unit au prochain ; Marie, la vie contemplative où l'amour de Dieu nous fait le désirer.

La vie active, en effet, c'est donner du pain à qui n'en a pas, enseigner la parole de sagesse à qui l'ignore, remettre celui qui s'égare dans le droit chemin, rappeler le prochain orgueilleux dans la voie de l'humilité, prendre soin des malades, fournir à chacun ce qu'il lui faut et pourvoir à la subsistance de ceux qui nous sont confiés.

Quant à la vie contemplative, c'est être attaché de toute son âme à l'amour de Dieu et du prochain, mais dans le repos, sans activité extérieure, et en adhérant par le seul désir au Créateur. On ne trouve de plaisir à aucune action, mais on foule aux pieds toute préoccupation, et l'âme brûle de voir la face de son Créateur.

Heureux les humbles

De Bède : Sur l'évangile de Luc.

« Ne craignez pas, petit troupeau, car votre Père a bien voulu vous donner le Royaume. »

Le Seigneur appelle « petit » son troupeau. Peut-être est-ce en comparaison du plus grand nombre de réprouvés ? — C'est plutôt, semble-t-il, pour montrer son amour pour l'humilité. Il veut, en effet, que son Eglise, déjà assez considérable en nombre, grandisse encore par l'humilité jusqu'à la fin du monde et parvienne, par cette vertu, au royaume promis. Il la console avec douceur de ses peines, en lui prescrivant de rechercher seulement le royaume de Dieu et en le lui promettant, de la part du Père, dans sa tendre bonté.

Conseils divers

Ils sont extraits des Lettres d'Alcuin (735-804), moine formé à York en Angleterre, appelé par Charlemagne pour être le maître de l'école palatine.

Elle est grande aux yeux de Dieu, la prière faite en commun, elle est grande la communion dans la charité ; et il est beaucoup mieux de prier, manger et dormir en communauté, que de rester dans son logement personnel, seul avec le danger, car le diable pourra plus facilement venir à bout de celui qui est seul, que de celui qui est entouré de toutes parts du secours de ses frères, selon la parole de l'Ecriture : « Un frère aidé par son frère est comme une ville forte » (Proverbe 18, 19).

Qu'y-a-t-il de plus doux que de jouir de la conversation du Dieu tout-puissant ? Celui qui lit les discours très saints du Seigneur, transmis à nous par ses saints, entendra Dieu qui lui parle ; et celui qui prie, parle à Dieu. Que ces échanges très saints conduisent jour et nuit à l'allégresse ; que les affaires du monde ne viennent pas ruiner les délices spirituelles, car les délices et les fausses amours de ce monde ne sont que vanité des vanités.

Aspirons à cet amour qui n'aura jamais de fin : en lui est l'éternité bienheureuse, et le bonheur éternel. Si vous voulez mériter d'y parvenir, que nul labeur ne vous effraie, que nulle douceur de ce monde ne vous retienne, mais que brûle sans cesse en vos cœurs l'amour de celui qui apparut en chemin comme troisième compagnon aux deux disciples, puis fut dérobé à leurs yeux de chair.

Cherchons, dans les écrits des saints Pères, celui qu'ils reconnurent, alors qu'ils n'étaient pas encore instruits par les Ecritures. Maintenant, tout est expliqué. Maintenant, la vérité de l'Evangile brille dans le monde entier, maintenant les énigmes des prophètes brillent, plus claires que le soleil, dans les Eglises du Christ. Recherchez de toute votre âme cette lumière de vérité, et connaissez le Christ en elle, aimez le Christ, suivez le Christ, afin que, vous attachant à ses traces saintes, vous méritiez d'avoir la vie éternelle en sa très sainte présence.

Forte et noble obéissance

De Smaragde (mort en 830), abbé de Saint-Mihiel en Argonne : « Commentaire de la règle de saint Benoît ».

Le Bienheureux Benoît qualifie de très fortes les armes de l'obéissance, parce que le « travail » de l'obéissance surpasse tout autre travail humain librement choisi. Est-il rien de plus fort pour un homme que de se faire en toutes choses l'esclave d'un autre homme ?...

Le bienheureux Benoît déclare ces armes très fortes et nobles... Elles sont très fortes, en effet, les armes de l'obéissance : par elles, l'homme se renonce soi-même ; nobles : il suit le Christ. Très fortes : il s'écarte du mal ; nobles : il fait le bien.

Très fortes : il ne rend pas le mal pour le mal ; nobles : il rend le bien pour le mal.

Très fortes : il ne maudit pas qui le maudit ;

Très fortes : il ne garde pas de haine en son cœur ; nobles : il aime comme lui-même l'ennemi et le prochain.

Très fortes dans l'abaissement ; nobles dans l'activité.

Très fortes dans l'acceptation de la souffrance ; nobles dans l'obéissance.

Très fortes dans le jeûne continuel ; nobles dans la réfection des pauvres.

Très fortes : que vos reins soient ceints ; nobles : et vos lampes allumées.

Très fortes dans l'acceptation de la maladie ; nobles dans la visite des autres malades.

Très fortes : l'homme ne se laisse pas séduire par les vanités menteuses ; nobles, il dit la vérité, de cœur et de bouche.

Très fortes, par la patience à supporter les torts ; nobles, en n'en faisant pas supporter à autrui.

Mais nous pouvons dire aussi en toute vérité, que plus les armes de l'obéissance se montrent fortes dans l'activité durant la vie présente, plus elles seront nobles dans les récompenses éternelles.

Ne rien préférer à l'amour du Christ

De Smaragde : « Commentaire de la règle de saint Benoît ».

En vérité, nous ne devons rien préférer à l'amour du Christ, c'est-à-dire, ne rien faire passer avant lui, ne rien mettre au-dessus de lui. Tout ce qui est en notre pouvoir vient du Christ : nous vivons, parce qu'il nous donne la vie, nous nous mouvons et nous sommes, parce qu'il nous aime ; c'est parce qu'il nous aime le premier que nous l'aimons, car c'est son amour qui nous a créés et nous a donné la vie ; il nous a nourris, il nous a gardés, il nous a conduits au bain de la nouvelle naissance ; il nous a renouvelés, il nous a dirigés, il nous a amenés à l'âge où l'on devient sage : tout cela, Dieu l'a fait pour nous par miséricorde et par amour.

Elève ton cœur vers son amour ; aime non pas un peu, ou d'une partie de toi, mais aime de tout ton cœur et de toute ton âme et de tout ton esprit le Seigneur ton Dieu, au point de ne préférer l'amour d'aucune chose à l'amour de ton Seigneur.

Bienheureuse est la force de l'amour du Christ, qui s'appelle charité et dilection. Dieu aime tous les hommes et il place au fond de notre cœur l'amour de tous, comme s'ils ne faisaient qu'un seul prochain. Heureux amour vraiment, qui nourrit les vertus et détruit les péchés, étouffe la colère, réfrène la haine, chasse l'avarice, fait cesser la discorde et met en fuite tous les vices à la fois. Il supporte tout, il croit tout, il espère tout ; parmi les outrages, il est plein d'assurance ; parmi les colères, tranquille ; les attaques sournoises ne sauraient le vaincre, les pillards ne sauraient l'enlever, les voleurs ne sauraient le dérober, l'incendie ne le consume pas, il demeure inexpugnable ; il dure, impossible à dénouer ; il persévère inébranlable et, incorruptible, il est dans la joie. Il est le lien de toutes les vertus, il est le ciment des âmes, la concorde des esprits, la communion des élus et l'exultation des saints anges.

Il faut donc que le moine, s'il veut être heureux, garde en son cœur cette vertu si noble, qu'il soit toujours avec elle, qu'il se lève avec elle, et qu'il marche avec elle, et que, maintenant et dans l'éternité, ne cessant jamais de vivre avec elle, il soit toujours dans la joie.

Quand tous frappent à la même porte

De Paschase Radbert, écolâtre (1) de l'abbaye de Corbie, en Picardie (790-865) : « Sur l'évangile de saint Matthieu ».

« Notre Père qui êtes aux cieux. » Dès lors que tu as été uni au corps du Christ, tu peux être certain que tous te prennent avec eux dans leurs prières et que tous demandent ensemble à Dieu, que sa volonté se fasse en toi. Aussi faut-il estimer grandement cette unité, et faire grand cas d'une communauté si solidement établie dans le Christ : tous n'y ont qu'une seule et même voix ; tous ensemble, par la même foi, portent Dieu dans leur âme, aiment d'une même charité, se réjouissent déjà dans la même espérance ; tous ensemble n'ont qu'un désir, qu'une recherche, et frappent à la même porte, celle de la tendresse paternelle. Il n'y a donc rien de plus puissant, rien de plus fécond, rien de meilleur, que cette situation où tous sont un et où tous ont souci de chacun...

Aussi personne ne doit douter qu'il obtiendra du Père d'accomplir ce que le Fils unique a enseigné ; personne ne doit omettre, par paresse, d'agir en fils comme il l'a enseigné. En cela, dis-je, consiste ce pouvoir qu'il a donné aux hommes de devenir enfants de Dieu ; à cause de cela, il nous donne d'oser faire la prière qu'il a donnée et enseignée afin que, par la grâce, soit accompli ce qui n'est pas en notre pouvoir... Aussi, toutes les fois que l'un d'entre nous, même à l'écart des autres et caché dans les lieux les plus secrets, invoquera Dieu le Père,

(1) C'est-à-dire maître des études.

qu'il sache bien que le don d'une si grande dignité n'est pas fait à chacun isolément, mais à tous communément...

Qu'elle doit nous paraître sûre et bienheureuse, cette prière que le maître venu du ciel nous a enseignée! Heureux si, en prononçant les mots, nous en gardons l'esprit dans tous les actes de notre vie! Quelle solide espérance de salut est donnée aux croyants! Avec quelle abondance l'amour du Créateur se répand sur nous, sa miséricorde et sa tendresse nous sont accordées, sa faveur et le don de la confiance nous sont dispensés! Nous qui n'avons été que des serviteurs indignes, voici que nous osons nommer Dieu notre Père! Il nous faut donc vivre et nous comporter en fils de Dieu, afin de prouver en esprit, par nos actes et par notre conduite, que nous sommes ce que dit notre nom.

Je suis avec vous tous les jours

De Paschase Radbert.

« Voici que je suis avec vous tous les jours, jusqu'à la fin du monde. » C'est le même Christ qui, en retournant vers son Père dont il ne s'est jamais séparé, s'élève dans les cieux selon la chair et qui promet à ceux qu'il a choisis, d'être toujours sur terre avec eux...

Assurément, la fin de l'Evangile enseigne avec évidence, au sujet du Christ, qu'il est un et le même, lui qui demeure et qui s'en va. Car lorsqu'il dit : « Me voici », c'est le mot de quelqu'un qui se montre, et lorsqu'il ajoute : « Je suis avec vous », il se donne l'attribut grand et merveilleux de la divinité...

C'est comme s'il disait : je suis toujours le même et partout présent. Toutefois, autre est sa présence en tout lieu par sa majesté qui remplit toutes choses, autre sa présence avec nous par la grâce. Assurément, en parlant ainsi, il inspire une grande confiance à tous ceux qui croient en lui : car ce n'est pas seulement à ses disciples qu'il adresse sa promesse, mais à tous les chrétiens. Les apôtres ne devaient pas vivre corporellement jusqu'à la fin du monde. Mais lui, la tête, c'est à son Eglise — à ses membres — qu'il promet fidèlement d'être toujours présent. Avec eux et en eux, il doit consommer toutes choses, et achever ce qui manque encore en son corps et en ses membres.

L'ambition chrétienne

De Dom Marmion, abbé de Maredsous (Belgique),
(1858-1923) : « Le Christ, Vie de l'âme ».

Pourquoi donc se trouve-t-il des âmes pusillanimes qui se disent que la sainteté n'est pas pour elles, que la perfection n'est pas à leur portée ? Savez-vous ce qui les fait parler ainsi ? Leur manque de foi à l'efficacité des mérites du Christ. Car c'est la volonté de Dieu que tous se sanctifient ; au dernier jour, quand nous paraîtrons devant Dieu, nous ne pourrons pas lui dire : « Mon Dieu, j'ai eu à surmonter de trop grandes difficultés ; en triompher était impossible ; mes fautes nombreuses m'ont découragé. » Car Dieu nous répondrait : « C'eût été vrai, si vous vous fussiez trouvé seul ; mais je vous ai donné mon Fils Jésus ; il a tout expié, il a tout soldé ; c'est sur lui que vous deviez vous appuyer ; dans ma pensée divine, il n'est pas seulement votre salut, mais il est la source de votre force ; car tous ses mérites, toutes ses richesses, — et ils sont infinis — étaient à vous dès le baptême ; et, depuis qu'il est assis à ma droite, il m'offrait sans cesse pour vous les fruits de son sacrifice ; c'est sur lui qu'il fallait vous appuyer, car en lui, je vous aurais donné surabondamment la force de vaincre tout mal, comme il me l'a demandé lui-même ; d'être comblé de tous biens, car c'est pour vous, non pour lui-même, qu'il m'interpelle sans cesse. »

Croire en la divinité du Christ

De Dom Marmion.

Que le Christ se montre à nous dans une crèche, sous la forme d'un petit enfant, ou dans un atelier d'ouvrier ; comme un prophète, sans cesse en butte aux contradictions de ses ennemis ; dans les ignominies d'une mort infâme ; sous les espèces de pain et de vin ; la foi nous dit, avec une certitude toujours égale, que c'est toujours le même Christ, vrai Dieu aussi bien que vrai homme.

Et lorsque cette conviction est profonde, elle nous jette dans un acte d'intense adoration et d'abandon aux volontés de celui qui, tout en étant homme, demeure ce qu'il est, le Tout-Puissant et l'infinie perfection.

« Seigneur Jésus, Verbe incarné, je crois que vous êtes Dieu ; vrai Dieu engendré de vrai Dieu ; je ne vois pas votre divinité, mais parce que votre Père m'a dit : 'Celui-ci est mon Fils bien-aimé', je le crois, et parce que je le crois, je veux me soumettre à vous, tout entier, corps, âme, jugement, volonté, cœur, sensibilité, imagination, avec toutes mes énergies. Je veux que vous soyez mon chef, que votre Évangile soit ma lumière, que votre volonté soit mon guide ; je ne veux ni penser autrement que vous parce que vous êtes la vérité infaillible, ni agir en dehors de vous parce que vous êtes la voie unique pour aller au Père, ni chercher ma joie en dehors de votre volonté parce que vous êtes la source même de la vie. Possédez-moi tout entier, par votre Saint-Esprit, pour la gloire de votre Père ! »

Le Père regarde avec ravissement son fils Jésus et ceux qui lui ressemblent

De Dom Marmion.

Vous savez que les anciens patriarches, avant de quitter la terre, donnaient à leur fils aîné une bénédiction solennelle, qui était comme le gage des prospérités célestes pour leurs descendants. Or nous lisons, dans le livre de la Genèse, que le patriarche Isaac, avant de donner cette bénédiction solennelle à son fils Jacob, l'embrassa et, respirant le parfum qui s'échappait de ses vêtements, s'écria dans un élan de joie : « Voici que le parfum que répand mon fils est comme l'odeur d'un champ fécond qu'a béni le Seigneur. »

Cette scène est une image du ravissement qu'éprouve le Père en contemplant l'humanité de son Fils Jésus, et des bénédictions spirituelles qu'il répand sur ceux qui lui sont unis. Semblable à un champ émaillé de fleurs, l'âme du Christ est ornée de toutes les vertus qui embellissent la nature humaine.

La moindre des actions de Jésus était l'objet des complaisances de son Père. Quant le Christ Jésus travaillait dans l'humble atelier de Nazareth, quand il conversait avec les hommes ou prenait ses repas avec ses disciples, — toutes choses bien simples en apparence — son Père le regardait et disait : « Voici mon Fils bien-aimé en qui j'ai mis toutes mes complaisances. »

Et il ajoutait : « Ecoutez-le » c'est-à-dire, contemplez-le pour l'imiter : il est votre modèle ; suivez-le : il est la voie, et nul ne vient à moi que par lui.

Grâce à Jésus-Christ,
la sainteté de Dieu déborde sur nous

De Dom Marmion.

C'est par le Christ que nous entrons dans la famille de Dieu ; c'est de lui et par lui que nous vient la grâce et par conséquent la vie divine.

Telle est la source même de notre sainteté.

Le Christ n'est pas seulement saint en lui-même, il est notre sainteté. Toute la sainteté que Dieu a destinée aux âmes a été déposée dans l'humanité du Christ, et c'est à cette source que nous devons puiser. « O Christ Jésus, chantons-nous avec l'Eglise, au Gloria de la messe, vous êtes seul saint » : Seul saint, parce que vous possédez la plénitude de vie divine ; seul saint, parce que c'est de vous seul que nous attendons notre sainteté : « Vous êtes devenu, comme le dit votre grand apôtre, notre justice, notre sagesse, notre rédemption, notre sainteté. » En vous, nous trouvons tout ; en vous recevant, nous recevons tout. Toutes les grâces de salut et de pardon, toutes les richesses, toutes les fécondités surnaturelles dont surabonde le monde des âmes nous viennent de vous seul.

Que toute louange vous soit donc rendue, ô Christ ! Et par vous, que toute louange remonte à votre Père pour le « don inénarrable » qu'il nous fait de vous !

Benoît habita avec lui-même

De Dom Claude Jean-Nesmy, moine de la Pierre-qui-Vire

« Seul, sous le regard du suprême Témoin, Benoît habita avec lui-même. »

Qui ne désirerait cette vie personnelle ? Par une singulière contradiction, le développement de la vie moderne, qui nous vaut le désir exaspéré d'être nous-mêmes, étouffe cette vie personnelle en même temps qu'il la réveille ; il ne s'agit pas en effet d'une quelconque évasion de l'âme, loin de la prison du corps ou loin du monde, ni d'un subtil nirvana où s'éteindrait tout désir. C'est au contraire une présence plus assurée à soi-même et à Dieu : Seul, sous le regard du suprême Témoin. Car, bien qu'elle puisse être le fruit d'un effort psychologique, la Paix qu'apporte le recueillement ne serait pas si intense, le cœur ne s'y sentirait pas tellement au large, si ne se découvrait alors quelque chose de la plénitude et de l'immensité de Dieu.

Mieux encore : au contact du Dieu vivant et personnel, s'éveillent et commencent à s'épanouir les profondeurs de l'homme. Pour se regagner lui-même, rien de tel que la contemplation de Dieu.

Tu es là au cœur de nos vies

Guy-Marie Oury est un moine contemporain de l'abbaye de Solesmes (Sarthe). Il a écrit entre autres : « Ce que croyait Benoît » (1).

Avant notre regard vers Dieu, il y a le regard de Dieu sur nous, et saint Benoît a un sens très profond de ce Dieu qui est là, présent, et le regarde. Le Dieu qui vit et qui voit.

Il insiste à tout propos sur le regard de Dieu.

Il en fait deux instruments majeurs de son art spirituel : « Veiller à toute heure sur les actions de sa vie », et : « En tout lieu tenir pour certain que Dieu nous voit. » A toute heure, en tout lieu ; en avoir la certitude ; une certitude qui provoque à une vigilance continuelle.

Dieu est présent à l'âme ; il la voit de l'intérieur ; tout lui en est transparent : nul repli, si caché soit-il, où son regard ne pénètre ; il est là comme témoin ; saint Benoît ne dit pas comme gendarme, car ce témoin est père et guette avec une sorte d'anxiété les moindres mouvements de tendresse.

Dieu est témoin des pensées les plus secrètes, des vouloirs cachés les plus intimes ; ceux mêmes que l'homme n'ose s'avouer entièrement à lui-même ; ce qui passe inaperçu aux yeux des autres, Dieu le voit du dedans, dans sa source même ; c'est pourquoi il n'y a, de soi, aucune difficulté à se reconnaître pécheur devant lui.

Vérité fondamentale, essentielle pour tout chrétien, mais plus encore pour le moine qui vient au monastère s'exercer à la garde du cœur. Saint Benoît a fortement indiqué la place qu'il reconnaissait à la présence de Dieu, puisqu'il en a fait la base de son ample développement sur l'humilité. «L'homme doit être persuadé que Dieu le considère du haut du ciel, continuellement et à toute heure ; qu'en tout lieu ses actions se passent sous les yeux de la Divinité... » (Règle 7).

Pour Benoît il est donc essentiel de vivre sans cesse sous le regard de Dieu, conscient de sa présence, notre regard rejoignant son regard, notre attention fervente, mais toujours précaire et mobile, rejoignant la sienne, immuable comme Lui-même. Ayant pris conscience qu'il se tient devant Dieu, le moine cherche à vivre dans la vérité et à se rendre conforme à elle, par élimination de toute duplicité et de tout pharisaïsme. Le regard de l'homme lui apparaît bien secondaire. Plus le regard de Dieu s'impose à lui, plus il tend à devenir conforme à ce que Dieu veut de lui.

Celui qui se tient devant Dieu, attentif à son jugement, découvre clairement dans sa vie ce qui a véritablement valeur aux yeux du Seigneur et ce qui n'en a pas ; il prend conscience des inutilités, des œuvres vides et vaines. Il ne veut plus perdre de vue ce regard, afin, grâce à lui, de devenir conforme à l'intention de Dieu.

Vivant sous le regard de Dieu, le moine se voit à la fois très petit et très aimé, et il s'emploie respectueusement à rendre amour pour amour, veillant à ne pas se montrer indigne de Celui qui a daigné poser les yeux sur lui. Saint Benoît ne conçoit pas la perfection autrement que comme une quête de Dieu, un regard d'humilité amoureuse vers Celui qui seul compte.

Ne rien préférer à l'Office divin

On chante beaucoup chez saint Benoît, et l'on chante dans la joie. L'amour de Dieu, l'amour du Christ expliquent la vie monastique. Le don gratuit de Dieu appelle une réponse d'amour, gratuite comme lui. Le moine a reçu gratuitement, il rend gratuitement dans la joie. La joie est au-dedans, et elle rejaillit à l'extérieur dans le chant et la louange. Pâques éclaire de sa lumière le cours de l'année liturgique ; c'est la sainte Pâque à laquelle on se prépare avec ferveur et que l'on « attend avec l'allégresse d'un désir tout spirituel » (Règle 49).

Chaque semaine, le retour du dimanche apporte un peu de la joie de Pâques et de son Alleluia. Le travail manuel cesse, la prière, sous ses diverses formes, emplit la journée : «Le dimanche, tous vaqueront à la lecture hors ceux qui sont pris par les divers emplois » (Règle 48).

L'œuvre de Dieu, c'est toute la vie du moine. Ainsi le comprenaient les anciens Pères. Toutefois, saint Benoît réserve ce terme à l'Office divin, c'est-à-dire à la prière chantée conventuelle.

On constate chez saint Benoît la volonté de donner à cette rencontre conventuelle un caractère de dignité et de gravité, d'en faire un véritable service. Il ne désire pas que cette prière conventuelle comporte de longs moments de silence ; elle est faite surtout de louange formelle (la psalmodie), et d'écoute de la Parole (les lectures), avec quelques chants de caractère plus lyrique (les hymnes). A la prière silencieuse est laissé un caractère de plus grande spontanéité ; saint Benoît n'entend pas donner une mesure rigide pour tous ; chacun s'y portera selon le degré de grâce qu'il a reçu.

Mais la louange conventuelle passe avant toute chose.

Saint Benoît a donné par deux fois pour consigne à son moine de ne rien préférer à l'amour du Christ ; il reprend la même formule pour l'Office divin comme si, à ses yeux, le zèle pour l'Office était la manière privilégiée de témoigner de l'amour pour le Christ ; comme si également l'Office divin était le lieu privilégié où cet amour trouvait à s'exercer actuellement.

L'Office ne vaut que par l'esprit qui l'inspire ; la présence matérielle ne saurait suffire. La foi y doit être active, plus agissante qu'en nulle autre circonstance : «Considérons quels nous devons être sous le regard de la divinité et de ses anges, et soyons présents à la psalmodie de telle sorte que notre esprit soit d'accord avec notre voix» (Règle 19). C'est une image de la Jérusalem céleste que Benoît place sous les yeux de ses moines, désireux de voir son monastère en refléter la liturgie.

Priez sans cesse

Comme la nature humaine est excessivement mobile, incapable, sans une grâce spéciale, d'attention soutenue et continue, saint Benoît s'emploie à alimenter la prière du moine par des procédés fort divers : la « lectio » conventuelle et personnelle, la mémorisation des psaumes que l'on redit tout bas dans le courant de la journée, les courtes pauses durant le travail pendant lesquelles on se prosterne pour prier.

Il y a donc une grande continuité dans la vie du moine : il passe de l'office à la lectio, de la lectio à la prière, de la prière aux repas, des repas au travail, dans la paix, le recueillement de la prière intérieure favorisée par le silence et la clôture. La garde du cœur, le triomphe sur les passions tendent à établir l'âme dans un état où la prière devient sa respiration ; l'absence de souci temporel dans la désappropriation totale favorise la prière ; la joie que saint Benoît désire habituelle chez les siens... aura pour effet d'entretenir les moines en état d'action de grâces ; leur occupation sera de chanter Dieu dans leur cœur et, à certaines heures, de le faire en commun, associant leur corps au chant intérieur. Toute l'existence acquiert un caractère sacré.

La vie du moine est donc, en ce sens, vouée à la louange de Dieu. L'initiative première est venue du Seigneur qui l'a placé, par ses avances et son appel, dans l'obligation de lui rendre grâce. Le moine va proclamer à l'office, en une louange formelle, les merveilles opérées par le Seigneur : c'est un témoignage éclatant, une publicité donnée à l'œuvre du salut. Mais il ne saurait se contenter de cela ; sans cesse monte à ses lèvres une « confessio », qui est l'expression de son amour. Celle-ci requiert une parfaite concordance de la vie et de la voix ; l'unité est ainsi réalisée : la garde des pensées est ordonnée au triomphe de l'amour divin dans le cœur du moine ; la louange de Dieu sous toutes ses formes, silencieuse et solennelle, personnelle et publique, est la manifestation et l'épanouissement de cet amour triomphant. Tout dans le monastère, structures, ascèse, conditions de vie, silence, travail, converge vers ce but dernier : la glorification de Dieu par la prière continuelle.

Ton désir a éveillé le mien

« Toujours nous remportons la victoire à cause de celui qui nous a aimés » (Romains 8, 37). Le secret des victoires du chrétien est sa foi en l'amour. Elle était totale chez l'Abbé du Mont-Cassin. Il faisait crédit à Dieu en toute circonstance, toujours et partout ; il y trouvait la paix ; son âme s'était établie une fois pour toutes dans cette région de sérénité.

Le Prologue repose sur la certitude que Dieu ne veut rien plus ardemment que se donner lui-même au moine chez qui il a éveillé le désir.

A l'amour infini qui se manifeste à lui et auquel il accorde sa foi, le moine répond par le don de lui-même en hommage d'amour. Au jour de sa profession il chante : *Suscipe me*, « Reçois-moi, Seigneur, selon ta parole et ne déçois pas mon attente » (Psaume 118, 116 ; Règle 58). La vie monastique est une réponse au don de Dieu par un don de soi. Le moine s'abandonne entre les mains du Seigneur avec la certitude qu'il ne sera bien nulle part ailleurs ; il fait confiance à Celui qui l'a aimé le premier et s'abandonne inconditionnellement. Il n'agira plus par devoir, mais par besoin de manifester son amour.

(1) Tous les textes de G.M. Oury sont extraits de « Ce que croyait Benoît », © Editions Mame.

Ne jamais désespérer
de la tendresse de Dieu

Le Christ a proclamé la béatitude des miséricordieux. N'est-ce pas parce que le cœur de Dieu l'est lui-même infiniment ? Si le cœur de Dieu continue à se pencher sur la misère qui fait appel à lui, tout est sauf et son amour restera triomphant. Tout ce que l'histoire du salut nous a appris de Dieu, chante sa miséricorde. Nous ne savons en définitive que cela de lui.

Il reste à faire l'application de cette certitude de foi à notre cas particulier ; ce que l'histoire du salut nous dit de Dieu vaut pour chacun de nous ; notre histoire personnelle avec ses heures de fidélité, de défaillance, puis de retour et de repentir, est à l'image de celle du peuple de Dieu. Le désespoir méconnaît le caractère foncier de Dieu ; il est une insulte à l'attribut qui lui tient le plus à cœur ; saint Benoît interdit donc à son moine de douter de Dieu. Le sang du Fils de Dieu est assez généreux. Les sources de la grâce sont assez abondantes pour lui rendre confiance en dépit de tout.

Reconnaître le Christ en tout homme

L'Abbé du Cassin demande au moine de stimuler sa foi afin de reconnaître le Christ sous toutes les apparences qu'il peut revêtir. On pourrait sans exagérer dire que, pour une foi vivante, il n'y a que le Christ. Le moine le voit partout. Dans son abbé d'abord qui en tient la place au monastère... Dans les hôtes : «Tous les hôtes qui surviendront seront reçus comme le Christ lui-même, car il doit dire un jour : 'j'ai demandé l'hospitalité et vous m'avez reçu' (Matthieu 25, 35)» (Règle 53). Dans les pauvres et les voyageurs étrangers, ceux dont on ne sait d'où ils viennent, «parce que c'est principalement en leur personne qu'on reçoit le Christ» (ibid). Dans les malades : «Avant tout et par-dessus tout, on prendra soin des malades et on les servira comme le Christ en personne, car il a dit lui-même : 'j'ai été malade et vous m'avez visité'» (Matthieu 25, 36).

On le rencontre dans les prêtres, dans tous les frères : c'est le secret des marques d'honneur et de déférence que l'on rend à tous : «On se prosterne devant le Christ en leur personne» (Règle 53).

Ainsi le moine rencontre-t-il partout le Christ ; c'est la joie de sa vie, la raison pour laquelle il se sent bien au monastère et y vit de «bons jours», dans la maison de Dieu. Tout lui est devenu transparent. Il vit en communion avec Celui qui l'a appelé et, en vivant proche de lui, il est proche de ses frères. Son cœur ne connaît plus qu'un amour qui se répand sur toute créature parce qu'en toutes il voit une image de Celui qu'il aime.

Grégoire le Grand

Grégoire le Grand ne fut pas seulement
un grand admirateur de Benoît (voir p. 27).
Il fut aussi l'évêque de Rome, le pape très actif
d'une époque troublée et dut s'occuper
de multiples affaires extérieures
à la vie d'un moine.
Cependant, son esprit reste marqué par l'amour
du cloître et du silence où Dieu se révèle,
et par l'humilité, vertu chère à Benoît.
Son œuvre littéraire qui est considérable
(Sermons, Livre des Dialogues,
Morales, Lettres...) en témoigne.

Tu m'as mis au large

Je suis malheureux au sein des affaires extérieures qui me tourmentent. Je me souviens de l'existence que je menais jadis au monastère. Mon âme s'élevait au-dessus des réalités passagères, pour ne songer qu'au ciel. Elle était bien prisonnière du corps, mais la contemplation la libérait des liens terrestres. La mort que tous les hommes redoutent lui apparaissait comme le début de la vie et la récompense de ses travaux. La charge d'évêque (de Rome) m'accable aujourd'hui d'affaires matérielles. Il me faut affronter la poussière des chemins, après avoir entrevu un si doux repos !

Quand on veut rentrer en soi même, après des occupations extérieures même dictées par la charité, on se retrouve beaucoup moins apte aux réalités spirituelles. Je regarde ce que je souffre et ce que j'ai perdu, et il m'est plus dur de porter mes peines. Me voici maintenant le jouet des flots de la haute mer et je ressemble à un navire brisé par les fureurs de la tempête. Je me souviens de mon existence antérieure ; je regarde en arrière et je soupire après le rivage que j'aperçois encore. Ce qui m'est le plus pénible, quand je suis ainsi secoué par les vagues, c'est d'entrevoir seulement le port que j'ai déserté. Que mon âme est à plaindre ! Elle garde encore le bonheur qu'elle perd si elle se rappelle l'avoir perdu, en s'éloignant davantage. Mais elle oublie même ce qu'elle a perdu : elle ne se rappelle plus ce qu'elle possédait autrefois. En nous éloignant, toujours, nous n'apercevons même plus le port tranquille que nous avons quitté.

Nous sommes tout petits devant toi, Seigneur

Comparé à la Sagesse éternelle, notre être n'est que néant. En nous unissant à elle, nous vivons de sa vie et nous devenons « sages ». Mais si nous comparons notre sagesse à la sienne, la nôtre disparaît...

Les saints reconnaissent d'autant mieux leur néant qu'ils pénètrent davantage dans la connaissance des perfections divines et des réalités spirituelles. C'est ainsi qu'Abraham se reconnut pareil à la poussière lorsque Dieu lui eut parlé. Peut-être se serait-il estimé grand s'il ne s'était vu si proche de la divinité.

La connaissance de Dieu nous vient par les Ecritures et par des inspirations secrètes. La Bible est placée devant l'esprit comme un miroir. Nous y contemplons notre visage intérieur, celui des saints et celui de Dieu. Les inspirations divines élèvent l'âme, minimisent les pensées terrestres et l'embrasent de désirs d'éternité. Elle ne prend alors plaisir qu'aux choses du ciel ; elle dédaigne les penchants d'une nature malade. Cette inspiration se pressent, mais on ne peut l'exprimer par des paroles. L'âme, pour l'entendre, doit se retirer des réalités extérieures. Car Dieu ne se manifeste pas à découvert. Il se sert de signes, il parle bas. Il visite l'âme dès le matin, sa lumière chasse les ténèbres, lui donnant à contempler la vérité. Il lui fait expérimenter, en se retirant, toute sa faiblesse.

Dieu ne se révèle qu'obscurément, derrière certaines images. Impossible de l'entrevoir en sa nature pendant la vie présente.

La « folie » des Saints

On se moque de la simplicité de cœur du saint. Cacher ses vrais sentiments sous de fausses apparences, tourner le véritable sens des mots, faire passer pour exact ce qui est mensonge et vice-versa, voilà la sagesse selon le monde. On en apprend l'usage aux jeunes gens, on l'enseigne aux enfants, moyennant finances. Ceux qui y sont versés regardent les autres de très haut ; ceux qui l'ignorent rampent avec admiration devant ces prétendus savants, car ils aiment eux aussi cette duplicité détestable, de quelque nom qu'on la voile, fût-ce de celui de politesse. A ses esclaves, elle commande de rechercher le faîte des honneurs, de mettre leur joie dans l'acquisition de ces vaines glorioles, de rendre à cent pour un les souffrances reçues de l'entourage, de ne céder devant personne si on en a la possibilité et, dans le cas contraire, de dissimuler sous une feinte bonhomie l'impuissance de la méchanceté.

Voici, par contre, la sagesse des saints ; ne rien simuler par ostentation, dire ce que l'on pense, aimer la vérité et fuir la déloyauté, faire du bien sans attendre de récompense et supporter le mal plutôt que de le faire, ne chercher vengeance à nulle injustice et tenir pour un gain l'injure reçue dans la défense de la vérité. Mais on se moque de cette simplicité des saints. Une telle pureté de cœur est regardée comme sottise par les sages de ce monde. Tout ce qui est accompli dans l'innocence leur paraît stupide, toute œuvre faite en accord avec la vérité ne semble que folie à cette sagesse terrestre.

Le ressort de l'espérance

Quelle langue serait capable de décrire, quelle intelligence pourrait cerner ce que sont les joies de la cité céleste : prendre place dans les chœurs des anges, jouir avec les bienheureux esprits de la gloire du Créateur, contempler sans cesse le visage de Dieu, percevoir la lumière infinie, ne plus redouter la mort, goûter le don d'une incorruptibilité éternelle !

Rien qu'à entendre cette énumération, l'âme s'enflamme du désir de se trouver là où elle espère se réjouir sans fin. Mais, pour parvenir à ces grandes récompenses, il nous faut passer par de grands labeurs ! Paul, l'incomparable prédicateur, nous en avertit : « L'athlète ne reçoit la couronne que s'il a lutté selon les règles » (2 Timothée 2,5). Que la grandeur des récompenses charme donc l'esprit sans que les combats à soutenir ne le découragent !

Entraînez vos compagnons vers Dieu

Entraînez les autres avec vous ; qu'ils soient vos compagnons sur la route qui mène à Dieu.

Quand vous rencontrez, en allant sur la place ou au bain, quelque désœuvré, invitez-le donc à vous accompagner. Car vos actions terrestres elles-mêmes servent à vous unir aux autres.

Vous allez à Dieu ? Essayez de ne pas y arriver seuls. Que celui qui, dans son cœur, a déjà entendu l'appel de l'amour divin en tire pour son prochain une parole d'encouragement.

Peut-être n'avez-vous pas de pain pour le donner à un mendiant ; mais celui qui a une langue peut donner mieux que du pain. Car nourrir de l'aliment de la Parole une âme destinée à vivre éternellement est mieux que rassasier d'un pain terrestre un corps qui doit mourir un jour. Prenez donc bien garde de priver votre prochain de l'aumône de la parole. C'est un avertissement que je me donne autant qu'à vous.

Que vos conversations inutiles tournent désormais à l'édification du prochain. Faites attention à la rapidité avec laquelle s'écoule notre vie ; voyez la vérité du Juge qui doit venir.

Sur l'exercice du pouvoir

Tous les responsables dans l'Eglise doivent estimer leur propre valeur, non d'après l'autorité de leur rang, mais d'après l'égalité de leur condition. Ils doivent se réjouir, non de dominer les hommes, mais de se donner à leur service...

Trop souvent, celui qui détient un pouvoir, s'élève et s'enfle intérieurement : il a tout à sa disposition, on exécute ses ordres avec empressement, ses inférieurs ne ménagent par leurs éloges sur ce qu'il fait de bien mais n'ont pas d'autorité pour s'opposer à ses erreurs. Ils approuvent même ce qu'ils devraient blâmer ! Et le chef, séduit par ces bassesses, s'élève au-dessus de lui-même. Au-dehors, une approbation sans limite l'entoure, mais au-dedans la vérité lui manque. Aussi, oubliant ce qu'il est, il se jette sur ce que disent les autres et il se croit tel qu'il l'entend dire au-dehors, et non tel qu'il devrait se reconnaître au-dedans. Il méprise ses inférieurs et ne reconnaît pas leur égalité naturelle avec lui. Il croit surpasser par sa valeur ceux qu'il domine par le pouvoir, il s'estime plus intelligent qu'eux. Le voilà établi en lui-même comme sur un sommet... semblable à l'ange rebelle, cet homme qui refuse d'être semblable aux hommes...

Certes, la plupart du temps, l'esprit humain tend à s'élever, même quand il n'a aucune souveraineté. Combien plus se place-t-il sur les hauteurs quand un pouvoir lui est attribué ! Pourtant il y a une manière de bien exercer l'autorité : c'est s'appliquer à en faire un service, tout en refusant les abus de pouvoir. C'est commander en s'estimant l'égal des autres, tout en s'imposant avec force à ceux qui font le mal.

Il y a beaucoup de « Lazare »
à notre porte

Mes frères, vous qui connaissez à la fois quel est le repos de Lazare et quelle est la peine du riche, montrez-vous avisés…, procurez-vous des avocats pour le jour du jugement en la personne des pauvres. Maintenant, en effet, vous avez beaucoup de Lazare ; ils sont à vos portes, sans force, et ce qui leur manque, c'est ce qui tombe chaque jour de la table dont vous sortez repus…

Voyez les pauvres qui se présentent et, avec insistance, nous supplient, eux qui, un jour, viendront intercéder pour nous… Voyons si nous devons refuser ce qu'on nous demande, quand ce sont nos avocats qui nous le demandent. Ne laissez donc pas passer le temps de la bonté, ne négligez pas les remèdes qui vous sont donnés. Avant l'heure du supplice, réfléchissez au supplice. Quand vous voyez dans ce monde des hommes de très basse condition, même si quelque chose en eux paraît répréhensible, ne les méprisez pas, car peut-être la pauvreté sert de remède à la blessure de leur faiblesse morale. S'il y a en eux des choses justement condamnables, donnez-leur à la fois le pain qui restaure et la parole qui redresse… Si donc un pauvre paraît mériter des reproches, il faut l'admonester, non le mépriser. Mais s'il n'y a en lui rien de répréhensible, il doit être souverainement honoré, comme un intercesseur. Mais voilà : nous en voyons beaucoup, sans savoir ce que chacun mérite. Tous ont donc droit à notre vénération, et il importe d'autant plus de se faire humbles devant tous, qu'on ignore celui d'entre eux qui est le Christ.

91

Le feu

Oui, Dieu est un feu. De ce feu, la Vérité dit : « Je suis venu mettre le feu à la terre, et ce que je veux, c'est qu'il brûle. » Ce sont nos cœurs terrestres qui sont nommés terre. Le Seigneur met le feu à la terre quand, par le souffle de l'Esprit-Saint, il incendie les cœurs des hommes charnels. Et la terre brûle, quand un cœur charnel, rendu froid par les jouissances perverses, renonce aux convoitises du siècle présent et s'enflamme d'amour de Dieu. Il convenait donc bien que l'Esprit apparût dans le feu ; de tout cœur qu'il remplit, il chasse le froid qui engourdit et il l'enflamme de désir pour son éternité. Il est apparu sous forme de langues de feu, car ce même Esprit est coéternel au Fils et il y a une parenté très proche entre la langue et la parole. Or la Parole du Père, c'est le Fils... L'Esprit est apparu sous forme de langue parce que tout homme touché par lui rend témoignage à la Parole de Dieu, c'est-à-dire à son Fils unique ; et il ne peut renier la Parole de Dieu, celui qui a désormais pour langue l'Esprit-Saint. Assurément aussi, l'Esprit est apparu en langues de feu, car il rend tous ceux qu'il remplit, à la fois ardents et éloquents. Ceux qui enseignent ont des langues de feu, parce que, pendant qu'ils prêchent l'amour de Dieu, ils enflamment les cœurs de leurs auditeurs. Car c'est en vain que parle celui qui enseigne, s'il ne peut allumer l'incendie de l'amour...

Cluny

Cluny ! Age d'or pour les descendants de Benoît.
Non seulement l'art roman s'épanouit
dans cette très vaste abbaye bourguignonne
fondée en 910, mais de grands et saints abbés
lui donnent un rayonnement spirituel immense.
Ce sont Odon, Odilon, Hugues,
Pierre le Vénérable.

Les beautés de Cluny

Saint Pierre Damien (1007-1072), prieur de Fonte-Avellane en Italie, mais aussi Cardinal et Légat du Pape, vint à Cluny pour y régler un différent avec l'évêque de Mâcon. Il fut littéralement ébloui. La « Vie de saint Odilon de Cluny » reste son chef-d'œuvre littéraire.

Les moines n'habitent point la solitude, mais ils imitent et ils égalent les vertus des ermites. Leur fidélité à la Règle, leur charité, la sagesse de leurs coutumes monastiques me font penser à l'Eglise primitive. A Cluny, comme chez les premiers chrétiens (ou plutôt comme au ciel), nul n'a peur de la misère : la charité règne, la joie spirituelle déborde, la paix appartient à tous, la patience fait tout accepter, tout supporter. Une espérance courageuse, une foi robuste, une chasteté sans tache s'allient à l'obéisssance humble qui lave les péchés. Que dire de la mortification, du silence, de la simplicité des vêtements ?

Les offices divins prennent la meilleure part des journées les plus longues. Comment ne point parler des beautés matérielles de Cluny ? Je devrais décrire les salles bâties en pierre de taille, l'église vaste et voûtée, ses nombreux autels, son riche trésor de reliques...

O noble famille, véritable Israël de Jésus Christ, vous avez quitté un esclavage indigne. Vous jouissez maintenant d'une terre promise d'où vous vous efforcez de passer à la patrie véritable. Là où coulent le lait et le miel.

Sur l'autre rive

De Pierre Damien — Lettre à un ami sur le point de mourir.

Je vous confie au Dieu tout-puissant, très cher frère, et vous remets à Celui qui vous a créé.

Lorsque la mort vous atteindra et que vous paierez votre dette à la nature mortelle, puissiez-vous retourner à votre Créateur qui vous a formé du limon de la terre. Lorsque votre âme se séparera de votre corps, puisse la brillante cohorte des anges s'empresser de vous accueillir, le tribunal des apôtres vous absoudre, les rangs triomphants des martyrs vêtus de blanc vous accompagner, les troupes des saints vous entourer, le chœur des vierges vous suivre avec des chants d'allégresse. Puisse Notre-Seigneur Jésus apparaître devant vous avec une expression douce et ardente et vous assigner une place parmi ceux qui se tiennent en sa présence pour toujours.

Puisse le Christ qui a souffert pour vous sauver de votre châtiment, puisse le Christ qui a été crucifié pour vous délivrer de votre croix, puisse le Christ qui a condescendu à mourir pour vous, vous racheter de la mort. Puisse le Christ, le fils du Dieu vivant, vous établir dans son verdoyant paradis d'éternelles délices, et le bon Pasteur vous reconnaître comme une brebis de son troupeau. Puisse-t-Il vous pardonner tous vos péchés et peut-être vous désigner pour siéger à sa droite, en compagnie de ses élus. Puissiez-vous voir votre Rédempteur face à face et, vous tenant à jamais en sa présence, contempler l'éternelle vérité révélée aux yeux des saints dans toute sa beauté.

Enfin puissiez-vous prendre place dans les rangs des bienheureux et entrer dans la douceur de la vision béatifique à tout jamais.

Sermon pour la Saint-Benoît

Saint Odon (vers 879-942) fut le second abbé de Cluny. C'est lui qui commença à voyager pour réformer les monastères en décadence. Il en fit des filiales de Cluny. On a gardé de lui une série de « Conférences ».

Il est certain que la ferveur chrétienne honore et vénère un saint d'autant plus volontiers qu'elle le voit plus richement embelli par Dieu. C'est une espèce d'instinct divin qui lui fait chérir spécialement ce père (saint Benoît), et rappeler paisiblement son souvenir. Elle n'ignore pas que le Dieu tout-puissant l'a exalté d'admirable manière, parmi les plus grands des pères, parmi les élus de la Sainte Eglise, qu'Il l'a distingué parmi les fondateurs de la foi et de la morale chrétiennes.

Oui, les sages se réjouissent, car saint Benoît est le maître qui les invite à faire l'apprentissage de la milice céleste. Militant sous sa direction, ils nourrissent l'espérance d'être introduits au palais du Roi des Cieux. Cette récompense, ils ne la font pas découler de leurs mérites, mais ils ont confiance de l'obtenir par l'intercession de leur maître. Ils regardent cette lampe qui resplendit dans leurs existences sombres, et ils discernent grâce à elle le but de leurs efforts. Cette lampe, c'est le très saint Benoît.

Prière de l'Eglise
consciente de son péché

De saint Odon.

Marie-Madeleine, touchée du souffle divin, éclairée par le regard de l'Esprit, renonça aux égarements de sa vie passée. Quand elle apprit que le Seigneur était descendu chez Simon, elle ne douta pas de la bonté de son créateur. Elle répandit sur la tête très sainte du maître son parfum précieux. Toute la maison en fut embaumée. Elle ne dit pas un mot, mais son attitude traduisait l'ardeur de son regret et de son amour. C'était comme si elle se fut adressée au maître en ces termes :

« O très doux Seigneur Jésus, toi qui sais tout et sondes véritablement les cœurs, toi qui ne veux pas la mort des pécheurs, mais leur conversion et leur vie, tu sais bien ce que réclament mes soupirs, et ce que demandent mes larmes jaillies des profondeurs, ce qu'implorent mon gémissement et ma douleur. Je suis pécheresse et impure, souillée des crimes les plus horribles. Dès les premières années j'ai contaminé ma vie. Je me réfugie auprès de toi, mon Seigneur, qui es la vie éternelle, afin que tu me restitues ma vie perdue dans le mal. En ta bonté, arrache-moi aux angoisses des abîmes ; en ta miséricorde, délivre-moi ; par ta puissance, libère-moi, toi qui seul prends en considération les peines et les douleurs. »

Cette très sainte femme représente l'Eglise. Celle-ci, guérie des corruptions de la vie passée, rejette par l'eau du baptême les débauches idôlatriques, et obtient le pardon de ses péchés ; elle suit le Seigneur non point pas à pas, mais en imitant ses œuvres. Cette femme arrosa les pieds du Seigneur par les larmes du repentir, et l'Eglise demande chaque jour le pardon de ses fautes. Tandis qu'elle accueille et proclame avec respect les mystères de l'humanité divinisée, elle répand sur les pieds du sauveur le baume pur et parfumé de sa foi. Par les mains de Marie-Madeleine, elle a accompli ces paroles à la lettre. Et elle ne cesse de les accomplir chaque jour en esprit, quand sous toutes les latitudes du monde, elle chante la gloire du créateur.

Grandeur de la femme

De saint Odon.

C'est par une femme que la mort avait été apportée au monde ; mais pour que le sexe féminin ne fût pas à jamais méprisé, c'est une femme qu'Il chargea d'annoncer aux hommes la joie de la résurrection. Tout comme s'il avait été dit : Tu as reçu de sa main le poison mortel, entends de sa bouche l'allégresse de la résurrection.

Par sainte Marie toujours vierge, espérance unique du monde, les portes du paradis nous ont été ouvertes, et la malédiction d'Eve abolie. De même, par sainte Marie-Madeleine a été effacée l'infériorité dans laquelle on tenait les femmes. C'est à bon droit que Marie est qualifiée d'Etoile de la mer. Sans doute ce symbole convient-il particulièrement à la Mère de Dieu, car grâce à la naissance de Jésus, le soleil de la justice a resplendi sur le monde ; mais on peut aussi l'appliquer à sainte Madeleine, qui s'en vint au sépulcre du Seigneur, portant des aromates, et, la première, annonça au monde la splendeur de la résurrection du Maître. Les disciples ont été appelés « Apôtres » car ils ont été envoyés par Lui pour prêcher l'Evangile à toute créature, mais sainte Marie-Madeleine ne fut pas moins, par le même Seigneur, chargée d'une mission : celle d'enlever de leurs cœurs le doute et l'incrédulité de sa Résurrection.

O Seigneur, nous t'en prions donc et supplions : Dans ta tendresse, tu as accordé à Marie-Madeleine une grande faveur. Daigne, à cause d'elle, jeter sur nous un regard favorable. Nous sommes chargés du poids de nos péchés, et incapables de mériter notre pardon. Donne-nous, par sa prière, de recevoir la couronne de la victoire, et d'être associés à sa gloire. Durant son existence terrestre, elle t'a servi avec une ardeur intense, et maintenant, elle jouit avec les anges de ta lumière, elle rayonne de ton amour.

Que sa prière nous obtienne d'être lavés de toute faute et conduits à la patrie d'en-haut.

Emmanuel : Dieu-avec-nous

Cinquième abbé de Cluny, saint Odilon (962-1048) possédait une puissance égale à celle du Pape de l'époque ! Il aurait pu en abuser. Mais c'était aussi un grand spirituel, doux et attentif aux pauvres.

Le Dieu tout puissant qui a formé l'homme à son image n'a pas voulu qu'il périsse à jamais dans sa difformité. Il envoya son Fils, qui apparut parmi les hommes, le plus beau parmi tous les enfants des hommes ; afin de réformer miséricordieusement, par la présence de son humanité, cet homme qu'il avait admirablement formé par la puissance de sa divinité. Et de transformer en beauté sa difformité. Le maître prit la forme de l'esclave pour nous réconcilier à Dieu le Père.

O signe du plus grand amour ! Sacrement inexprimable de la tendresse divine ! Le Dieu tout puissant décida de racheter l'homme, et pour le racheter, il se manifesta dans la chair. « Il fut placé dans la crèche. » Qui vit pareil spectacle ? Qui jamais entendit de telles paroles ? Sublime dans son règne, il était humble parmi nous. Il reposait dans la crèche et il siégeait aux cieux. Couché dans les bras de sa mère, il est assis à la droite du Père. Fils unique de Dieu avant tous les temps, il devint, dans le temps, fils de la vierge. Il se fit participant de notre vie mortelle, afin que nous participions à la sienne.

Qu'elle est douce, cette naissance ! Qu'il est précieux, ce don ! Tu l'entends, le Christ est né pour toi : réjouis-toi ! Il t'a été donné : réjouis-toi davantage !

Prenons l'initiative de confesser le Seigneur par notre

attitude, et chantons-Lui les psaumes de notre allégresse. Car il est avec nous, je l'ai dit, Celui qui nous est né, et qui nous a été donné. N'en doutons pas : le Seigneur sera avec nous, comme Il est présent tout entier, identique à lui-même, en tous lieux, selon sa nature divine. Présent toujours selon sa substance infinie, il ne saurait manquer à ceux qui le servent : il l'a dit à ses disciples : «Voici que je suis avec vous tous les jours jusqu'à la consommation des siècles.» S'Il a promis à ses fidèles d'être tous les jours avec eux, combien nous sera-t-il présent davantage, en ce jour anniversaire de sa naissance !

Par l'admirable mystère de sa disposition, le voici, né d'aujourd'hui et reposant dans la crèche, Celui que Salomon nous montre vivant dans son éternité avant tous les siècles, Celui dont Isaïe affirme qu'il n'est absent d'aucun lieu. S'il est toujours et partout, non, il ne peut pas nous manquer à nous-mêmes. Il ne «peut» pas ? L'expression est hardie : en sa puissance même, il ne le peut pas. Il a l'impuissance de sa toute-puissance. Cet infini de possibilité, telle est sa seule limite !

Prière à la Croix

De saint Odilon.

Au nom de Jésus tout genou doit fléchir au ciel, en terre et aux enfers ; devant lui maintenant je fléchis les genoux ; je confesse mes fautes au Père des lumières, au Maître de tous les esprits, à celui qui gouverne sur la terre comme au ciel.

Du Seigneur que j'adore sans cesse,
la croix est avec moi.
Croix qui m'est un refuge,
croix qui est ma route et ma force,
croix, étendard qu'on ne peut prendre,
croix, arme qui rend invincible.
La croix repousse tout mal.
La croix met en fuite les ténèbres.
Par cette croix, j'avance sur la route de Dieu.
La croix, pour moi, c'est la vie ;
pour toi, ennemi, c'est la mort.
Que la croix de notre Seigneur soit pour moi
la grandeur suprême.
Que sa résurrection me donne une foi ferme.
et un espoir certain en la résurrection des justes ;
que sa glorieuse ascension au ciel me porte
chaque jour à désirer le Ciel,
et que le Saint-Esprit qui pénètre en nos cœurs
soit la rémission de tout notre passé.

Amen.

Veillez nuit et jour !

Saint Hugues (1024-1109) succéda à Odilon à la tête de Cluny. Comme son prédécesseur, il joua un rôle politique important, ce qui ne l'empêcha pas de montrer aussi une charité sans borne. C'est aux moniales de Marcigny (monastère fondé par lui) qu'il s'adresse ici avec affection.

Vous ne savez ni le jour ni l'heure où Dieu répondra à votre appel. Ne vous laissez donc pas sombrer dans la sécurité, demeurez jour et nuit inquiètes, attentives à libérer vos âmes. Préparez au baiser de l'Epoux la chambre de vos cœurs : oui, préparez-la pour ce grand Roi à qui vous avez juré fidélité. Veillez de toutes vos forces à ce qu'il ne trouve rien en vous qui déplaise à sa majesté.

Si un remords de conscience éprouve telle ou telle d'entre vous à cause d'une faute (pensée, parole, action ou — qui sait ? — don offert ou reçu indûment, ou quelque chose qui soit contraire à votre profession), que celle-là reprenne cœur ! Qu'elle revienne à la source, et qu'elle avoue sa faute humblement à son prieur, celui qui nous remplace. Qu'elle se confesse en vérité et puis, qu'avec l'aide de Dieu, autant que le permet la fragilité humaine, elle veille à ne plus recommencer. Tout ce que vous accomplirez de bon : charité, humilité, patience, obéissance, repentir, témoignage sincère, mortification, faites-le sous le regard de Dieu seul ou bien en notre présence, nous vous y invitons vivement de la part de Dieu, pour le pardon de vos péchés.

La prière liturgique

Saint Benoît recommandait de « ne rien préférer
à l'Œuvre de Dieu », c'est-à-dire à la prière
de l'Eglise. Ses successeurs, suivant cette ligne,
ont pris une large part à la création
et à l'expansion de la prière publique chrétienne
en Occident. C'est aux moines en effet
que revient l'« invention » du plain-chant,
dit « chant grégorien ».
De nombreuses hymnes liturgiques, également
sont nées dans les monastères.
Les bénédictins participèrent notamment
à la renaissance carolingienne.

Hymne au Dieu créateur

De Grégoire le Grand : Hymne pour les vêpres du dimanche.

Créateur magnifique du jour,
Source de toute lumière.
De toi jaillissent les rayons
qui enveloppent l'univers.

De l'aube au soir, le temps s'écoule,
Et tu l'as appelé jour.
Mais quand s'abattent les ténèbres,
Entends nos pleurs et nos prières.

Le mal pèse sur nos épaules,
Nous oublions l'éternité
Et le péché nous rend esclaves.
Mais ne nous retire pas la vie !

Laisse-nous frapper à ta porte
Et gagner la couronne de vie !
Fuyons toute espèce de mal
Et lavons toutes nos souillures.

Exauce-nous, Père très bon
Et toi, l'Unique, égal au Père
Avec l'Esprit consolateur
Toujours, partout et dans les siècles.

Honneur, louange et gloire au Christ

De Théodulfe (mort en 821), abbé de Fleury
(St Benoît-sur-Loire) et évêque d'Orléans : Hymne pour les
Rameaux.

Honneur, louange et gloire au Christ, notre Roi, notre
      Libérateur !
Les enfants ont chanté pour toi
un hosanna plein d'amour,
Roi d'Israël et fils de David,
Roi qui viens au nom du Seigneur,
nous te bénissons.
Les anges dans les cieux
et l'homme sur la terre
et toute créature
célèbrent tes louanges.
Vers toi s'avançait le peuple hébreu
avec des palmes.
Vers toi nous arrivons
avec des vœux, des chants et des prières.
Avant ta passion
il t'a rendu hommage,
après ton ascension
nous chantons ta louange.
Leur geste t'avait plu,
que te plaise le nôtre !
Roi très bon, roi très doux,
à qui plaît tout geste de bonté.

Prière de repentir

De Jean de Fécamp (990-1078), abbé de Fécamp et de Saint-Bénigne de Dijon.

O Toi, Christ, mon rédempteur,
O Fils du Père, ô très bon,
Que tu daignes, avec ton Père,
Je t'en prie, me regarder,
Pour que je puisse pleurer
Ma misère amèrement.

Oui, je sais que, devant toi,
J'ai très gravement péché,
Autant la nuit que le jour,
De cœur, de bouche et d'action,
Ne cessant, à grand labeur,
De t'offenser, toi, mon Dieu.

Tu es le Dieu un et trine,
Tu es la toute-puissance,
Tu es tendre et bienveillant,
Tu es clémence infinie,
C'est pourquoi daigne donner
A mes yeux de ruisseler.

Esprit-Saint, dans ta bonté
Regarde-moi, fais-moi grâce ;
Plongé au fond de la mort,
je te demande la vie ;
Que, m'ayant rendu la vie,
Ta lumière m'illumine.

Hymne au Saint-Esprit

De Rhaban Maur (env. 780-856), abbé de Fulda et archevêque de Mayence. Il s'agit du célèbre « Veni Creator ».

Viens Esprit Créateur,
visite les esprits des tiens.
Remplis de la grâce d'en-haut
les cœurs que toi-même as créés.

Toi qu'on nomme Consolateur,
don du Dieu Très-Haut,
source vive, feu, charité,
pénétrante onction de l'âme,

Toi qui portes les sept dons,
doigt de la droite du Père
et son authentique promesse,
tu mets les mots sur nos lèvres.

Fais briller sur nous la lumière,
répands l'amour en nos cœurs,
accorde à nos êtres fragiles
l'appui constant de ta force.

Repousse au loin l'ennemi,
donne-nous la paix sans retard.
Ainsi, en marchant à ta suite,
puissions-nous éviter le mal.

Fais-nous connaître le Père,
révèle-nous aussi le Fils.
Et donne-nous d'avoir à jamais confiance
En toi, leur commun Esprit.

Hymne pour la Pentecôte

De Notker le Bègue (840-912), moine de Saint-Gall, un des premiers écrivains allemands.

Esprit bienfaisant,
Toi qui éclaires les hommes,
Délivre notre âme
De ses horribles ténèbres,
Toi qui es toujours le saint ami
De qui pense avec sagesse.

O Esprit, toi qui peux rendre pur
De toute honteuse souillure,
Donne la pureté du regard,
En nous, à l'homme intérieur.
Afin qu'il nous soit possible
De voir le Père sans égal.

Tu as inspiré les prophètes
Pour que d'avance leur louange
Chante le Christ avec éclat ;
Aux apôtres tu as donné
La force de pouvoir porter
La Croix du Christ au monde entier.

C'est toi qui fécondes
Les eaux pour donner
Aux âmes la vie ;

C'est toi qui, aux hommes,
Donnes par ton souffle
D'être spirituels.

Toi, du monde que divisent
La langue et le culte,
Esprit, tu fais l'unité.
Vers toi montent nos prières :
Esprit-Saint, écoute-les
Avec bienveillance,
Toi sans qui toute prière est vaine
Et, croit-on, indigne d'être
Entendue de Dieu.

Toi qui as instruit
Les saints de tous les siècles,

Toi-même, aujourd'hui,
Aux apôtres du Christ,
Tu as fait ce don,
Sans égal et sans exemple
Dans le cours de tous les siècles,
Faisant ainsi la gloire de ce jour.

Hymne à la Vierge montée aux cieux

De saint Odilon (voir p. 86).

Célébrons aujourd'hui, mes bien chers frères, la fête de la Bienheureuse Mère de Dieu, Marire, toujours Vierge.

Vous êtes, après Dieu, la cause première du salut des hommes ; Mère unique et Vierge éternelle !

Chargée des plus grandes faveurs de Dieu, parée des dons les plus précieux du Ciel ! Vous êtes à tel point riche de la grâce divine que, par la fleur de votre sein virginal, le Père Tout-Puissant a vaincu le prince des ténèbres, auteur de la mort.

Par celui que votre virginité engendra, il a ouvert aux croyants les portes du céleste royaume.

Il vous a érigée jusqu'au trône de son éternité, environnée de la multitude des anges. La divinité, incarnée par votre office, accourt à votre rencontre en vous faisant fête, et la solennité de votre glorieuse Assomption résonne en ce jour à travers tout l'univers.

Voici venu le jour de joie
Eblouissant de sa lumière,
Voici que la Reine des vierges
Gravit le céleste chemin.

Voici qu'autour d'elle s'avance
La claire légion des anges...
Voici qu'il court à sa rencontre,
Le Christ, le Christ qui naquit d'elle !

La cité du règne céleste
Et tous ceux qui en sont dignes
Honorent la Mère du Prince
De leurs vœux et de leurs hommages.

Avec eux chantons l'allégresse
Dans le triomphe de ce jour
Et dans sa joie, célébrons Dieu,
Louons Dieu, supplions-le.

Accomplissons de cette fête
Les éclatants enseignements.
Va, mon âme, implore et supplie
Vous, mes lèvres, chantez la joie !

Nous vous saluons, notre Reine

De Hermann Contract (mort en 1054), moine de l'abbaye de Reichenau en Allemagne. Il s'agit du très connu « Salve Regina ».

Nous vous saluons, Reine,
Mère de tendresse,
Notre vie, notre douceur,
Notre espérance.

De notre exil, nous les fils d'Eve,
Vers toi, nous crions.
A toi nous nous plaignons,
Gémissant et pleurant.

Dans cette vallée de larmes,
Toi donc, notre avocate,
Tourne vers nous tes regards maternels.
Et après cet exil,
Montre-nous Jésus,
le fils de ta chair.
O bienveillante, ô tendre,
ô douce Vierge Marie.

Hymne à la Vierge de Noël

En latin : « Alma Redemptoris Mater ».
De Hermann Contract.

Noble Mère du Rédempteur
Porte du ciel toujours ouverte,
Etoile de la mer,
Viens au secours de ce peuple qui tombe
Et s'efforce de se relever.

Tu as mis au monde ton Créateur :
la nature s'en émerveille,
Toi, la toujours vierge, que Gabriel a saluée,
prends pitié de nous, pécheurs.

Hymne à saint Jean-Baptiste

*De Paul Diacre (mort en 799), moine du Mont-Cassin,
historien et poète.*

Venant du haut des cieux, un messager annonce
A votre père un nouveau-né qui sera grand ;
il publie votre nom et l'ordre des actions
De toute votre vie.

Dès vos tendres années, fuyant foules et villes,
Vous avez recherché les grottes du désert,
Pour que le moindre écart de parole ne vienne
Entacher votre vie.

Les prophètes anciens ont seulement chanté,
De leur cœur inspiré, l'astre qui allait naître,
Vous, du doigt, vous montrez celui qui vient ôter
Du monde le péché.

Sur toute l'étendue de l'immense univers,
Aucun des fils d'Adam ne fut plus saint que Jean,
Digne de baptiser celui qui laverait
Tous les crimes du siècle.

Que vous êtes heureux, vous, de si haut mérite.
Et dont la pureté éclatante est sans tache,
O très puissant martyr, fervent de solitude,
Le plus grand des prophètes !

Aussi, fort maintenant de si nombreux mérites,
Débarrassez nos cœurs de leurs pierres si dures,
Rendez plats leurs chemins raboteux, redressez
Leurs sentiers tortueux,

Pour que le Créateur et Rédempteur du monde
Daigne, en nos cœurs purifiés de toute tache
Venir dans sa bonté et qu'il puisse aisément
Poser ses pieds sacrés.

Que tous, en leurs chants, répètent gloire au Père,
Et à vous Jésus-Christ, engendré du Très-Haut,
Avec qui, ne faisant qu'un seul Dieu créateur,
Règne le Saint-Esprit.

Hymne pour la fête de saint Michel

De Rhaban Maur.

Jésus, force et splendeur du Père,
de nos cœurs, tu es la vie.
Nous te chantons avec les anges
attentifs au moindre de tes mots.

Ils sont des milliers
qui pour toi mènent le combat.
Et Michel, victorieux, brandit la Croix,
signe de notre liberté.

La tête horrible du démon,
C'est lui qui la jette aux enfers.
De son arc céleste il foudroye
Les rebelles avec leur prince.

Pour vaincre les forces du mal,
Suivons-le, ce chef de file,
Et l'Agneau qui règne aux cieux
Nous revêtira de gloire.

Hymne en l'honneur
de sainte Marie-Madeleine

De saint Odilon (voir p. 84).

Eglise, ô notre Mère, loue
et chante la bonté du Christ,
Lui qui lave tous les péchés
Donnant la grâce d'aimer.

Marie, sœur de Lazare,
a commis de grandes fautes.
Partie aux rives de l'enfer,
elle revient aux sources de vie.

La malade apportant du parfum
est accourue vers le médecin.
Celui-ci, d'un mot, la guérit
de sa profonde maladie.

L'épanchement d'un cœur brisé,
Le fleuve des larmes versées,
La ferveur de l'adoration
La délivrent de son péché.

Plus tard, elle vit, la première,
Jésus victorieux, surgissant de la mort.
Elle fut digne d'un tel bonheur
Car plus qu'un autre elle a aimé.

Que Dieu l'unique soit béni
Pour les grâces qu'il prodigue.
Il remet la faute et enlève la honte,
Il paie le salaire des œuvres.

Anselme de Cantorbéry

Saint Anselme (1033-1109) est sans conteste
l'un des fils les plus doués de saint Benoît.
Formé à l'abbaye du Bec, en Normandie,
il en devient l'abbé.
Ce mystique à la recherche passionnée de l'Absolu,
était aussi un philosophe, un fin pédagogue
et un homme d'action.
Les souverains anglais lui furent souvent hostiles,
durant les seize années (les dernières de sa vie)
où il fut archevêque de Cantorbéry.

Comment vous saisir, o mon Dieu ?

O mon Dieu, je veux vous comprendre, commence par dire l'intelligence humaine. Je ne veux pas comprendre votre vérité pour y croire, ô mon Dieu : j'y crois déjà. Mais je veux comprendre cette vérité que la foi accepte et que mon cœur aime.

O mon Dieu, je veux vous saisir, s'écrie l'être humain qui s'élance vers Dieu par tous ses sens à la fois.

Je suis plongé en vous. En vous je vis et j'agis. Comment se fait-il que je ne puisse vous approcher ? Vous n'êtes cependant pas loin : vous êtes autour de moi, vous êtes en moi. Comment se fait-il que je ne vous sente pas ? Vous vous cachez à moi derrière le voile de votre lumière et de votre béatitude. Mon âme demeure alors dans les ténèbres et dans sa misère. Elle regarde et n'aperçoit point votre beauté. Elle écoute et n'entend point votre harmonie. Elle hume et ne respire point votre parfum. Elle goûte et ne savoure point votre saveur. Elle avance la main et ne sent point votre volonté. Car vous possédez tout cela en vous, Seigneur mon Dieu. Vous le possédez à votre manière qui est inconnue pour nous, vous qui avez donné aux créatures de le posséder à leur manière sensible.

Que je vous voie, que je vous entende, que je vous sente, ô mon Dieu ! Je veux vous aimer, je veux que tout en moi s'attache à vous, que mon esprit vous médite, que ma langue vous célèbre, que vous soyez la faim de mon âme, la soif de ma chair et l'Etre vers lequel est tendu tout mon être.

Je ne désire que toi !

Viens, sois à moi, ô Dieu que j'aime, que je chéris,
    que je bénis de tout mon cœur, par tous mes mots !
Mon âme est attachée à toi, elle brûle de ton amour,
    elle ne respire que pour toi ; elle aspire après toi ;
    elle ne désire que toi ; elle ne trouve de douceur qu'en toi ;
Elle ne veut parler que de toi,
    n'entendre parler que de toi,
    n'écrire que sur toi, ne réfléchir qu'à toi.

O Jésus, mon âme aspire à contempler ta beauté ;
    elle brûle de t'entendre.
Jésus, désiré de mon cœur, jusques à quand
    supporterai-je ton absence ?
Jusques à quand pleurerai-je de ne plus jouir de toi ?
Mais ôù habites-tu donc ?
Il m'arrive de loin comme une effluve de ton parfum,
    parfum plus doux que ceux du baume, de l'encens, de la
    myrrhe,
et plus suave que toute autre senteur. Il allume en moi des
ardeurs pures et qui me dévorent. Elles sont douces et
cependant j'ai peine à les supporter.

Bonheur de celui qui voit Dieu !

Seigneur, toi qui donnes l'intelligence à la foi, donne-moi — autant qu'à ton gré cela peut m'être utile — de comprendre que tu es, comme l'affirme notre foi, et que tu es tel que nous le croyons.

Tu es celui qui est purement et simplement. Tu n'as ni passé ni futur, mais seulement un présent. Tu ne peux pas être pensé comme n'existant pas à quelque moment que ce soit. Tu es la vie, la lumière, la sagesse, la béatitude, l'éternité et la multitude des biens de ce genre : pourtant tu n'es qu'un seul, unique et même bien suprême, te suffisant en tout, n'ayant besoin de rien, et dont tout le reste a besoin pour son être et bien-être.

Ce bien, c'est toi, Dieu Père. C'est ton Verbe, ton Fils. Car, dans le Verbe par qui tu te dis toi-même, il ne saurait y avoir rien d'autre que ce que tu es, rien de plus, rien de moins... Ce bien, c'est encore l'unique Amour qui vous est commun à toi et à ton Fils ; et de la suprême simplicité il ne peut procéder autre chose que la simplicité suprême.

O bonheur de celui qui jouira de ce bien !

Qui me conduira
à ta lumière inaccessible ?

Dis maintenant, mon cœur, dis à Dieu : « Je cherche ton visage, c'est ton visage, ô Seigneur que je cherche. » Et toi, Seigneur mon Dieu, dis à mon cœur où et comment te chercher, où et comment te trouver. Seigneur, si tu n'es pas ici, Seigneur absent où te trouverais-je ? Si tu es partout, pourquoi ne suis-je pas sensible à ta présence ? Tu habites la lumière inaccessible ? Où est-elle, cette lumière inaccessible ? Comment parvient-on à la lumière inaccessible ? Qui m'y conduira ? Qui m'y introduira que je puisse t'y voir ?

Car je ne t'ai jamais vu, Seigneur mon Dieu, et je ne connais pas ton visage. Que fera-t-il, très haut Seigneur, que fera ton serviteur exilé loin de toi ? Que fera-t-il, anxieux d'amour pour toi, et si loin de ta présence ? Il aspire à te voir, et ton visage est tellement distant. Il désire t'approcher et ta demeure est inabordable. Il désire te trouver, et il ne sait pas où tu es. »

As-tu trouvé, mon âme, ce que tu cherchais ? Tu cherchais Dieu et tu as découvert qu'il était un être supérieur à tout, et tel qu'on n'en peut concevoir de meilleur ; et que cet être était la vie elle-même, la lumière, la sagesse, la bonté, l'éternelle béatitude et la bienheureuse éternité ; et qu'il était partout et toujours. Pourquoi mon âme ne vous goûte-t-elle pas, Seigneur Dieu, si elle vous a trouvé ?

Seigneur mon Dieu, qui m'avez formé et reformé, dites à mon âme, qui le désire, ce que vous êtes. Au-delà de ce qu'elle a vu, elle ne voit rien que des ténèbres ; ou plutôt, elle ne voit pas de ténèbres, en vous il n'y en a aucune, mais elle voit qu'elle ne peut voir davantage, à cause de ses propres ténèbres. Pourquoi en est-il ainsi, Seigneur, pourquoi ? L'œil de mon âme se heurte-t-il aux ténèbres de sa propre faiblesse, ou est-il ébloui par la réverbération de votre splendeur ? Mais tout à la fois, il est en lui-même obscurci et par vous ébloui.

Vraiment, Seigneur, telle est la lumière inaccessible que vous habitez. Vraiment, je ne la vois pas, car elle est trop forte pour moi ; et cependant tout ce que je vois, c'est par elle que je le vois, tout comme l'œil, dans sa faiblesse, voit ce qu'il voit grâce à la lumière du soleil, qu'il ne peut regarder dans le soleil lui-même. Mon intelligence ne peut faire face à cette lumière trop brillante, ni la recevoir, et l'œil de mon âme ne supporte pas de regarder longtemps vers elle. Il est frappé par sa splendeur, vaincu par son ampleur, écrasé par son immensité, confondu par son contenu. O lumière souveraine et inaccessible, ô vérité totale et bienheureuse, que vous êtes loin de moi qui vous suis si proche ! Que vous êtes loin de mon regard, alors que moi, je suis si présent au vôtre !

La douceur de Jésus

Jésus est doux quand il incline la tête pour mourir.
Il est doux quand il étend ses bras.
Il est doux quand il laisse s'ouvrir son côté,
      car cette blessure sacrée nous a révélé
      les richesses de sa bonté et l'amour de son cœur pour
      nous...
Jésus, toi qui es bon,
tu es doux à mes lèvres,
doux à mon cœur,
doux à mes oreilles.
Je ne cherche que toi.
Quand bien même aucune récompense ne me serait promise,
quand bien même l'enfer et le paradis n'existeraient pas,
à cause de ta bonté si douce,
je m'attacherais à toi ;
pour toi-même.

Donne-moi le goût
d'un service authentique

Mon Dieu, tu es toute tendresse pour moi,
je te le demande par ton Fils bien-aimé,
accorde-moi de me laisser emplir de miséricorde
et de prendre goût à tes inspirations.
Que je compatisse à ceux qui sont dans l'affliction,
que je vienne au secours de ceux qui sont dans le besoin,
que je soulage les malheureux,
que j'offre un asile à ceux qui en manquent,
que je console les affligés,
que j'encourage les opprimés,
que je rende la joie aux pauvres,
que je sois l'appui de ceux qui pleurent,
que je remette la dette à celui qui en aura contracté une à mon
      égard,
que je pardonne à celui qui m'aura offensé,
que j'aime ceux qui me haïssent,
que je rende toujours le bien pour le mal,
que je n'aie de mépris pour personne,
qu'au contraire j'honore tous les hommes,
que j'imite les bons,
que je m'éloigne de la fréquentation des méchants,
que je pratique toutes les vertus
et que j'évite tous les vices.
Donne-moi, Seigneur, la patience dans l'adversité,
et la modération quand tout va bien.
Que je sache maîtriser ma langue,
et poser, au besoin, une garde à ma bouche.
Enfin, mon Dieu, donne-moi le mépris des choses de ce
      monde,
et la soif des biens célestes.

Tous vous reconnaissent
pour leur souveraine

Rien n'est égal à Marie ; rien excepté Dieu n'est plus grand que Marie. Dieu a donné pour fils à Marie son propre Fils, égal à lui-même, né de son cœur. Toute la nature a été créée par Dieu, et Dieu est né de Marie. Dieu a tout créé, et Marie a enfanté Dieu.

O Vierge, je sais qu'il existe des apôtres, des partriaches, des prophètes, des confesseurs, des martyrs, des vierges. Ce sont des intercesseurs puissants, et je suis tout disposé à leur présenter mes supplications. Mais vous, ô Notre-Dame, vous êtes plus puissante et plus élevée que ces intercesseurs. Tous ces saints et les anges eux-mêmes, comme aussi les rois et les puissants d'ici-bas, les riches et les pauvres, les maîtres et les serviteurs, les grands et les petits, tous vous reconnaissent pour leur souveraine.

Ce qu'ils peuvent à eux tous avec vous, vous le pouvez à vous seule et sans eux. Pourquoi le pouvez-vous ? Parce que vous êtes la Mère de notre Sauveur, l'Epouse de Dieu, la Reine du Ciel, de la Terre et de tous les éléments. Je m'adresse donc à vous, je me réfugie auprès de vous, et je vous prie instamment de m'aider en toute chose. Si vous gardez le silence, nul ne priera pour moi, personne ne viendra à mon secours. Si vous priez pour moi, tous prieront, tous viendront à mon secours.

Les Mystiques

Outre saint Anselme, la famille bénédictine compte
de nombreux mystiques, hommes et femmes.
Surtout entre le XIᵉ et le XIIIᵉ siècle.
Ils retrouvent le langage du désir et de l'amour,
commun à tous les passionnés de la contemplation
de Dieu.

Prière pour demander la foi

De Jean de Fécamp (voir p. 94).

Pour l'amour de vous et de votre saint nom,
augmentez toujours en moi la foi :
une foi droite, une foi sainte, une foi pure,
une foi apostolique, une foi catholique, une foi orthodoxe ;
une foi toujours victorieuse, une foi très fervente, une foi très
      prudente ;
une foi parée de tous les biens et de toutes les vertus ;
une foi qui, en moi, opère tout ce que vous jugerez à propos,
      par la charité et par l'humilité ;
une foi qui ne puisse être vaincue dans les discussions,
au temps de la persécution ou au jour du besoin.
Je vous en supplie au nom de votre Fils béni
faites que toujours, par votre grâce,
cette foi en vous, exprimée par mes paroles, soit toujours
      affirmée dans ma vie par la bonté et la droiture de mes
      actions.

Prière pour demander
un cœur doux et humble

De Jean de Fécamp.

Donnez-moi un cœur contrit, un cœur pur, un cœur sincère,
un cœur donné, un cœur chaste, un cœur sobre,
un cœur doux, un cœur humble, un cœur plein de sérénité ;
un cœur dont vous soyez tout le désir,
un cœur qui veille à tout et garde la mesure en tout ;
un cœur simple et indulgent pour ses frères ;
un cœur compatissant aux souffrances d'autrui ;
un cœur qui se réjouisse des biens et des vertus des autres ;
afin que je sache pleurer avec ceux qui pleurent et me réjouir
avec ceux qui sont dans la joie.
Donnez-moi un esprit simple et doux : que je m'afflige des
torts faits à mes frères, et me réjouisse de ceux qu'on me
fait ;
que j'exulte quand on les loue, et m'attriste si on me loue.
Donnez-moi, Seigneur, un cœur très doux et plein d'une telle
humilité que jamais je ne cherche à obtenir de vos
serviteurs, mes anciens, la crainte ou l'amour qu'ils vous
doivent...

Gloire à toi, Trinité Sainte !

De Guillaume de Saint-Thierry, (1085-1148), abbé de Saint-Nicaise à Reims.

Toi, Dieu Père, créateur par qui nous vivons ;
Toi, Sagesse du Père, par qui vous vivons sagement,
    renouvelés,
Toi, Esprit-Saint, en qui nous vivons bienheureux,
Trinité d'une seule substance ;
seul Dieu de qui nous sommes,
par qui nous sommes,
en qui nous sommes ;
principe vers qui nous refluons,
chemin que nous suivons,
grâce par laquelle nous sommes réconciliés ;
Nous t'adorons et nous te bénissons :
à toi gloire dans les siècles.
Amen.

Communier à ses souffrances pour ressusciter avec lui

Ami de Guillaume de Saint-Thierry, saint Bernard (1090-1153) donna à la branche réformée de Cluny, l'ordre cistercien, un développement considérable. Il est un grand maître spirituel et son œuvre mérite un livre entier. Nous ne citerons de lui que quelques textes, pour mémoire.

Dès le début de ma conversion, je me suis efforcé de cueillir et de fixer sur mon cœur ce bouquet formé des souffrances de mon Seigneur. J'y ai mis d'abord les privations de son enfance, puis les travaux de ses prédications, les fatigues de ses courses, ses veilles passées en prière, ses tentations et son jeûne au désert, les larmes que lui arrache sa charité compatissante, le souci que lui causent les embûches de ses adversaires, les dangers qui lui viennent de faux frères, la honte des outrages dont on l'accable : crachats, soufflets, railleries et coups, enfin tout ce qu'il endura à travers la forêt de ses douleurs.

Voilà ce qui me soutient dans l'adversité, ce qui me rend humble dans la prospérité, ce qui me guide durant la vie présente à travers les écueils de la joie et de la tristesse. Voilà ce qui me concilie la miséricorde du Souverain Juge, lequel m'apparaît doux et humble. Je ne le trouve pas seulement disposé à écouter mes prières : il m'offre encore un modèle à imiter.

Une présence qui transforme

De saint Bernard.

Le Verbe, dès qu'il entre dans l'âme, la fait sortir de son
sommeil. Mon cœur qui est dur, pierreux, malade après qu'il
fut blessé par lui, s'est ému, s'est attendri. Le Verbe s'est mis à
arracher et à détruire, à édifier et à planter, à arroser ma
sécheresse, à éclairer mes ténèbres, à ouvrir ce qui était fermé,
à réchauffer ce qui était glacé. Le Verbe Epoux, lorsqu'il
pénètre dans les profondeurs de mon être, ne m'a jamais
manifesté sa présence par des signes, paroles ou images
extraordinaires. J'ai seulement ressenti son contact au mouve-
ment de mon cœur. La correction de mes défauts, l'apaisement
de mes désirs terrestres, le renforcement de ma vie intérieure et
une vision générale du surnaturel sont les effets habituels de
son action puissante.

A ce degré, l'âme a besoin de se manifester au dehors,
telle une lampe voulant sortir de l'abat-jour sous lequel on la
tient cachée depuis longtemps. Le corps, image de l'âme,
participe à cette lumière : elle brille dans ses regards ; elle
s'exprime dans son langage ; elle se reflète dans son sourire,
dans ses démarches, dans ses actions. La beauté visible de ses
vertus est la preuve de la maturité d'une âme. Elle la rend apte
à contracter avec le Verbe divin le mariage spirituel.

Ma joie déborde, quand je vois la divine Majesté s'incliner
jusqu'à ses créatures infirmes et conserver avec elles ; Dieu
épouser une âme exilée et ne pas rougir de lui témoigner un
amour passionné ! Cette scène est une vision du ciel et de la
terre. L'âme sent la suavité de son union à Dieu, mais elle est
incapable de l'exprimer. Elle ne peut rien traduire de ce qu'elle
éprouve.

La terre et les cieux
attendent votre « oui », o Vierge !

De saint Bernard.

Vous venez d'entendre, ô Vierge, la merveille qui doit s'accomplir. Et vous avez cru. L'ange attend votre réponse. Nous attendons, nous aussi, ô notre Souveraine, la parole de miséricorde, nous les misérables sur qui pèse une sentence de condamnation. Voici qu'on vous offre le prix de notre salut. Acceptez ! Et nous serons aussitôt délivrés... De la réponse qui tombera de vos lèvres dépend, en effet, la consolation des malheureux, le rachat des captifs, la libération des condamnés, le salut de tous les fils d'Adam, de toute votre race. O Vierge, hâtez-vous de nous la donner, cette réponse. O notre Souveraine, dites la parole qu'attendent la terre, l'enfer et les cieux !

Le Roi et le Seigneur de toutes choses attend lui-même votre consentement avec autant d'ardeur qu'il a désiré votre bonté. Votre réponse conditionne le salut du monde. Jusqu'ici votre silence lui a plu. Désormais votre parole lui plaira davantage. Ne l'entendez-vous pas qui vous crie du ciel : «O toi, belle entre toutes les femmes, fais-moi entendre ta voix»...

Répondez vite à l'ange ou plutôt, par l'ange au Seigneur. Répondez une parole et recevez la Parole, proférez votre parole et concevez la divine Parole, émettez une parole passagère et captez l'éternelle Parole. Pourquoi tarder, pourquoi craindre ? Croyez, confiez-vous, recevez ! Ouvrez, bienheureuse Vierge, votre cœur à la foi, vos lèvres à l'acceptation, vos entrailles au créateur. Voici que le désiré de toutes les nations frappe à votre porte. Oh ! si, pendant que vous tardez, il allait passer, si vous deviez douloureusement vous remettre à la recherche de Celui qu'aime votre âme (Cantique v, 2-6). Levez-vous donc, courez, ouvrez. Levez-vous par la foi, courez par la dévotion, ouvrez par l'acceptation.

En la suivant, tu ne dévieras pas

De saint Bernard.

Marie est cette splendide étoile qui se lève sur l'immensité de la mer, brillant par ses mérites, éclairant par ses exemples. O toi qui te sens, loin de la terre ferme, emporté sur les flots de ce monde au milieu des orages et des tempêtes, ne quitte pas des yeux la lumière de cet astre si tu ne veux pas sombrer. Si le vent des tentations s'élève, si l'écueil des épreuves se dresse sur ta route, regarde l'étoile, appelle Marie. Si tu es balloté par les vagues de l'orgueil, de l'ambition, de la médisance, de la jalousie, regarde l'étoile, appelle Marie. Dans les périls, les angoisses, les doutes, pense à Marie, invoque Marie. Que son nom ne s'éloigne jamais de tes lèvres, qu'il ne s'éloigne pas de ton cœur ; et, pour obtenir le secours de sa prière, ne néglige pas l'exemple de sa vie. En la suivant, tu es sûr de ne pas dévier ; en la priant, de ne pas désespérer ; en la consultant, de ne pas te tromper. Si elle te soutient, tu ne tomberas pas ; si elle te protège, tu n'auras pas à craindre ; si elle te conduit, tu ne te fatigueras pas ; si elle t'est favorable, tu parviendras au but.

L'Esprit de vie

De sainte Hildegarde (1098-1179), abbesse et fondatrice de plusieurs monastères allemands.

O Feu de l'Esprit consolateur,
Vie de la vie de toute créature,
tu es saint : tu donnes vie à toute beauté,
tu es saint : tu daignes réconforter de ton huile ceux qui sont
    dangereusement brisés,
tu es saint : tu essuies les blessures les moins propres,
O souffle de sainteté !
O bouclier de vie, espérance pour tous les membres de l'Eglise
    assemblés,
O refuge de beauté, sauve les bienheureux !
Garde ceux que l'ennemi a faits captifs,
Délivre ceux qui sont enchaînés
Et que la divine puissance veut pourtant sauver !
Par toi vont les nuages,
Par toi l'air parcourt les espaces,
les rochers laissent l'eau s'échapper,
les eaux coulent en ruisseaux
et la terre déploie son manteau de verdure.
C'est toi aussi qui guides les savants,
et l'inspiration de la sagesse les remplit de joie.
Louange à toi, qui es la louange et la joie de la vie,
l'espérance et l'honneur inviolé,
le dispensateur de toute lumière.

Offrande

De sainte Mechtilde de Hackeborn (env. 1241-1298), chargée
des études à l'abbaye de Helfta en Allemagne.

O mon Unique, je t'offre mon cœur comme une rose
　　　printanière ;
que sa grâce, tout le jour, charme tes yeux,
que son parfum ravisse ton Cœur divin.

Je t'offre mon cœur, pour que tu t'en serves comme d'une
　　　coupe,
où tu puisses goûter ta propre douceur,
en tout ce que tu daigneras opérer en moi pendant cette
　　　journée.

Je t'offre mon cœur comme une grenade exquise, digne de ta
　　　table royale.
Veuille me prendre entièrement
et que moi-même, à mon tour,
je me délecte en toi seul.

Fais, je t'en supplie, que toutes mes pensées,
toutes mes paroles, mes actions et ma volonté même
se règlent aujourd'hui sur le bon plaisir
de ta volonté bienveillante.

Bénis le Seigneur

*Elève et confidente de Mechtilde, sainte Gertrude la Grande
(1256-1301 env.) passa toute sa vie à l'abbaye de Helfta,
comme simple moniale. Elle y acquit une grande culture et
reçut des faveurs mystiques qu'elle mit par écrit dans plusieurs
livres.*

Mon Seigneur, tu es mon espérance, tu es ma gloire,
tu es ma joie, tu es ma béatitude.
Tu es ce dont mon esprit a soif.
Tu es la vie de mon âme.
Tu es l'allégresse de mon cœur.
Mon Dieu, où me mènera mon admiration, si ce n'est à toi ?
Tu es le commencement et la fin de tout bien.
Tu es la louange de ma bouche et de mon cœur.
Tu es tout éclatant de beauté,
au doux printemps de ton amour en fête...

Il n'est pas de créature qui puisse te louer dignement.
Toi seul tu te suffis, car en toi il n'est nulle faille.
Ta douce Face, plus douce que le miel, que le miel en rayon,
fait le bonheur des âmes saintes.
O mon Dieu, parce que tu es mien, rien ne saurait me
manquer.
Parce que je suis tienne, en toi je me glorifierai éternellement.
En toute tristesse qui m'arrive,
tu me prépares en toi un festin très désiré.
Où mon âme serait-elle bien, si ce n'est en toi, Dieu de ma
vie ?

Tu es pour moi le matin, le midi et le soir

De sainte Gertrude.

Lumière sereine en mon âme,
Matin rayonnant de douces clartés
Deviens jour en moi !
Amour qui éclaire et transfigure,
Viens à moi dans ta force !
C'est toi qui m'as aimée le premier ;
C'est toi qui m'as choisie.
Le premier, tu accours vers ta créature,
et l'éclat de la lumière éternelle
brille sur ton front.
Montre-moi ton visage
flamboyant comme le soleil.
L'étincelle peut-elle subsister
loin du feu qui l'a fait naître ?
La goutte d'eau peut-elle demeurer
hors de sa source ?
Amour, pourquoi m'as-tu aimée,
moi, créature enlaidie par le péché ?
N'est-ce pas pour me rendre belle ?
Toi, fleur délicate
engendrée par la Vierge Marie,
ta tendresse m'a séduite,
ta bonté m'a entraînée.
Amour, mon beau Midi,

je voudrais mourir mille fois
pour me reposer en toi...

Amour, mon Soir bien-aimé,
que ton être de feu
consume toutes mes laideurs.
Mon doux Soir,
que je m'endorme en toi,
d'un paisible sommeil.
Fais-moi goûter ce repos plein de joie,
que tu as préparé à tes amis.

Par ton regard si calme, si attirant,
daigne préparer mes noces éternelles.
Amour, sois pour moi un Soir si beau
que mon âme enlevée à la terre
lui dise un adieu réjoui,
et que mon esprit,
retournant au Seigneur qui l'a donné,
repose sous ton ombre aimée,
dans une paix sans fin.

Que tout mon être se réjouisse
en ta présence

De sainte Gertrude.

Que les vœux et les désirs de mon cœur se réjouissent en ta
    présence,
et que les dons de tes grâces si variées te chantent gloire.
Que les soupirs et les gémissements de cet exil se réjouissent en
    ta présence et te bénissent, ô mon Dieu, mon attente, mon
    espoir.
Mon espérance et ma confiance, qu'elles se réjouissent en ta
    présence :
Car de la poussière du tombeau, tu me ramèneras vers toi,
    ô Dieu vie bienheureuse.

Que la marque de ma foi se réjouisse en ta présence :
Elle est le signe de mon appartenance à toi.
Et, je le crois, dans ma chair je verrai mon Libérateur.
Que le désir éprouvé pour toi, que la soif endurée pour toi se
    réjouissent en ta présence.
Car après cette vie, ô mon Dieu ma vraie patrie, j'irai enfin à
    toi.

Assoiffée d'eau vive, je viens à toi

De sainte Gertrude.

O Jésus, fontaine de vie, fais-moi boire de cette eau vive qui jaillit de ton cœur : quand je t'aurai goûté, je n'aurai soif que de toi durant l'éternité.

Submerge-moi toute entière dans les profondeurs de ta miséricorde.

Baptise-moi dans la sainteté de ta mort précieuse. Renouvelle-moi dans ton sang par lequel tu m'as rachetée.

Lave dans l'eau qui sortit de son saint côté toutes les taches dont j'ai souillé l'innocence de mon baptême.

Remplis-moi de ton Esprit et possède-moi toute entière dans la pureté de l'âme et du corps.

Dans la paix comme dans la guerre, je vous aimerai

Du bienheureux Pierre Giustiniani (1476-1528), fondateur de la Congrégation des ermites de Saint-Romuald en Italie.

Seigneur, comment pourriez-vous faire que je ne vous aime pas ! Si vous me donnez la paix intérieure et la paix extérieure, je vous aimerai ; si vous me donnez la guerre et la bataille, au-dedans et au-dehors, je vous aimerai ; si vous me consolez intérieurement et extérieurement, je vous aimerai ; si vous me laissez dans les tribulations, sans consolation, dans l'angoisse, je crois que je vous aimerai encore...

Si vous me plongez dans les flammes du purgatoire, je vous aimerai, car elles ne me consumeront pas, elles me seront réconfort et douceur, puisque par elles j'irai à vous qui êtes mon seul amour...

Si c'est vous seul que j'aime et non moi-même, Seigneur qui êtes mon bien et mon unique amour, je ne me soucie pas de ce qui peut m'arriver, pourvu que je fasse votre volonté, que s'accomplisse en moi, sur moi, par moi, tout votre bon vouloir.

Que mon amour
réponde à vos largesses !

De Louis de Blois (1506-1566), abbé de Liesse (près de Cambrai).

Salut, doux Jésus !

Louange, honneur et gloire à vous, ô Christ, qui avez mis à mon usage le ciel, la terre, la mer et tout ce qu'ils renferment, pour me servir et me délasser.

Donnez-moi, je vous prie, de ne jamais abuser de vos créatures.

Que toutes vos œuvres vous révèlent à mes yeux, me prêchent votre bonté, me ravissent d'admiration et d'amour.

Salut, doux Jésus !

Je dois tout à votre miséricordieuse bonté : les soins qui ont entouré mon enfance, la nourriture, la boisson et toutes les choses nécessaires à l'entretien et au bien-être du corps.

Que mon cœur ne goûte que vous ! Possédez-le vous seul !

Pain du ciel, fontaine de vie, que j'aie faim et soif de vous maintenant et toujours.

Salut, doux Jésus !

Que de travaux vous avez supportés, ô Sauveur du monde, altéré du salut des âmes !

Que votre amour me rende prompt et empressé à toute bonne œuvre, que jamais je ne m'alanguisse à votre service.

Faites que je désire toujours ardemment le salut des âmes et que je le procure de mon mieux : faites que, zélé pour votre honneur, je me dépense partout sans réserve pour l'accroître.

Après Vatican II

Les moines d'aujourd'hui sont parfois
mis en accusation, à partir des recherches
de la psychanalyse ou à partir
d'une option politique ou culturelle.
Un bénédictin de l'Abbaye de la-Pierre-qui-Vire,
Ghislain Lafont, s'est essayé à regarder
le problème en face.
Il nous fait part de son expérience. (1)

(1) Ghislain Lafont, «Des moines et des hommes» © Editions Stock (Dont sont extraits les textes suivants).

Dieu me fascine

Je suis venu ici pour la première fois en 1943, lors d'un camp scout dans le Morvan ; j'ai été tout de suite séduit par ce monastère, vraiment perdu dans les bois, et par sa prière ; l'office de nuit m'a fasciné. Nous étions une quinzaine à y avoir été. Je me souviens que plusieurs d'entre nous s'y étaient profondément ennuyés, s'étaient juré qu'ils n'iraient plus jamais ; à moi, cette prière nocturne était vraiment apparue extraordinaire. On nous avait donné des bréviaires, et je m'y étais assez facilement retrouvé. Ces personnes et moi, priant dans la nuit, se levant uniquement pour Dieu, j'avais trouvé cela immense. Il faudrait parler — mais ce serait très difficile — de ce que représentait, de ce que vaut, encore aujourd'hui, cette sorte de fascination pour une vie centrée sur la consécration totale de soi à Dieu. C'est une sorte de sensibilité très vive à ce que mon maître des novices appelait « le Tout de Dieu ». Dieu existe, et puis voilà ! Et, s'il existe, cela entraîne une démarche monastique, celle même du Père de Foucauld au début de sa vie chrétienne : je ne m'habitue pas à ce que Dieu existe ; c'est pour moi, toujours, une nouvelle incroyable que Dieu existe, qu'il y ait un Dieu ! Je n'ai jamais eu de doute contre la foi ; il y a eu des difficultés dans ma vie, c'est inévitable, mais jamais de doute sur l'existence de Dieu. Une sorte d'éblouissement, au contraire. C'est une nouvelle extraordinaire que Dieu existe, le Dieu des Pères, le Dieu d'Isaac, d'Abraham, de Jacob, le Dieu qui était avant le commencement, qui sera après la fin, qui s'intéresse à toutes les générations, les unes après les autres, et à moi en particulier qui ne suis rien, si on considère tout l'ensemble de l'histoire.

Et je voudrais que toutes ces paroles que nous échange-rons soient paroles de louange, confession de Dieu. Je ne peux pas vous parler comme si je ne m'adressais pas en même temps à Dieu qui, je le crois profondément, est présent ici. Et, dans la mesure où il s'agit de parler de la vie monastique, je ne peux pas parler autrement que sur le mode de l'action de grâces. Il est impossible de ne pas rendre grâces ! C'est la seule chose que, finalement, on puisse faire quand on s'adresse à Dieu. Rendre grâces. Et aussi, demander pardon. Si Dieu existe, je pense qu'on ne peut chercher à le comprendre qu'en lui parlant ; quand il s'agit de Dieu, le langage propre est celui de l'invocation, et tous les autres s'insèrent en celui-ci. C'est comme avec les hommes, comme avec vous ; il ne peut y avoir rencontre entre nous que si nous nous « invoquons » mutuelle-ment ; si ce ne sont pas des personnes qui se parlent, qu'importe ce qu'elles se disent ? Dieu est par excellence Celui qu'on invoque. Toi, mon Dieu, Personne, présente ici. Toi présente ici, Toi présent à tous les hommes.

Gérer ses contradictions

Par tout un autre côté de lui-même, cependant, le moine — et c'est là que sa lutte commence à se manifester — n'est pas du tout enthousiaste de passer sa vie à «ne» chercher «que» Dieu ; il aurait envie de chercher beaucoup d'autres choses aussi ! Un des grands problèmes, c'est d'arriver à équilibrer ce désir exclusif de Dieu, qui vous pousse vers une solitude totale, et ce désir d'une vie humaine très remplie. On commence ici, à discerner que la vie consiste à «gérer ses contradictions», les contradictions de l'homme qui a envie de vivre sur tous les plans humains et de l'homme qui perçoit la vanité, le vide de tout ; non pas un vide mauvais, mais l'on n'allume pas l'électricité quand le soleil brille !

Certains, quand ils entrent dans la vie religieuse, ressentent surtout le sacrifice du mariage et du foyer ; je ne peux pas dire que ce soit lui qui m'ait le plus marqué au début. J'ai mis ce renoncement au compte des profits et pertes ! Mais ce que j'ai le plus ressenti — et c'est probablement plus égoïste —, ce sont toutes les avenues de culture et d'action qui m'étaient ouvertes et qui me seraient fermées. Je les appelle des lumières. On ne peut accepter que ces lumières ne soient jamais allumées s'il n'y a pas un soleil suffisant pour ne pas les faire regretter. Mais, on n'est pas tout le temps en train de regarder le soleil et lui ne se manifeste pas toujours...

Au fur et à mesure que l'on vieillit, les problèmes de ce genre tendent à se résoudre ; certains ne se posent plus. Je découvre la valeur divine du monde et des choses, de la création de Dieu. Je comprends que Dieu, qui nous a appelés étroitement à Lui, nous envoie aussi vers les valeurs de sa création : et s'Il nous y envoie, on Le trouve aussi là...

Il ne faut pas revenir sur la séparation que nous avons consentie au départ de la vie monastique : tout perdre pour suivre le Christ et entrer dans la connaissance de Dieu. Alors, Lui-même, dès ici-bas, nous conduit sur les chemins de sa création qui est bonne et nous fait collaborer à son désir de salut.

Dieu est Celui vers lequel on va, le Dieu de l'avenir. C'est vrai, mais il faut aussi que le Dieu de l'avenir soit le Dieu de la mission. Quoi que l'on fasse, il faut essayer de s'assurer que c'est bien Dieu qui envoie : dans ce cas, c'est Dieu lui-même que notre action «mettra au monde». Si nous partons de nous-mêmes, de notre seule vision des choses, nous risquons de nous égarer et d'égarer les autres. Le Christ n'a rien fait, sauf ce à quoi le Père l'a envoyé. Il faudrait qu'il en soit de même pour nous, peu à peu.

L'espace de la transcendance

Tout ce que je peux dire sur cette vocation monastique est : j'ai rencontré Dieu comme cela, et voilà. Je songe à des passages de l'Ecriture où Moïse est seul sur la montagne avec Dieu, ou encore à certains psaumes où il est question d'un homme de prière qui cherche vraiment Dieu dans la difficulté, puis le trouve et dit : « J'en ai crié de joie à l'ombre de tes ailes » ; c'est un type d'expérience spirituelle, il y en a d'autres...

La vie monastique continue la prière du Christ : le Christ a prié, a prié longtemps, et il a utilisé les prières judaïques, probablement les plus anciennes, dont on se sert encore actuellement et qui remontent à la Synagogue...

Celui qui n'a pas tel type d'expérience en a une autre : il expérimente l'Evangile sous d'autres aspects. On peut imiter Moïse comme chef de son peuple, Moïse comme prophète ou le Christ au milieu des foules : dans ce sens-là, je n'ai aucune difficulté à dire que l'expérience monastique est une expérience limitée, particulière, insuffisante, en aucune manière le modèle de l'expérience qu'il serait nécessaire d'avoir faite en tout état de cause...

Si nous voulons savoir où est Dieu, il faut regarder ce qu'a fait Jésus-Christ, car Jésus-Christ est venu montrer Dieu ; au fond, nous ne savons vraiment qui est Dieu que si nous regardons Jésus-Christ ; ce qu'il a dit et fait, mais surtout, comment il a vécu et avec qui. Or, Jésus est allé avec les pauvres : c'est donc là qu'on trouve Dieu. Si Dieu est dans l'espace de la solitude et de la transcendance, il est aussi dans l'espace de la pauvreté. Si on veut servir Dieu, il faut le faire là où Dieu est venu : parmi les pauvres. Pour vivre de manière divine dans l'espace de la pauvreté, je pense qu'il faut retrouver de temps en temps l'espace de la transcendance. Réciproquement, l'espace de la transcendance risque d'être un lieu de fuite s'il ne s'intègre pas à l'espace de la pauvreté. La solitude et la pauvreté sont peut-être les deux lieux de Dieu, et donc aussi les deux vrais lieux de l'homme.

La prière aussi doit être évangélisée

« Qui est-ce que je prie ? Est-ce que, même, je prie quelqu'un ? Est-ce que je n'imagine pas d'abord qu'il y a un Dieu, et ensuite, est-ce que je ne fais pas ce Dieu à mon image, pour avoir finalement une sorte de dialogue avec moi-même, avec le Dieu que je me fabrique sans sortir vraiment de moi-même ? » Cette question est importante. Il ne faudrait pas, en effet, confondre la prière avec l'expérience intérieure qui comblerait mon désir et aboutirait à une sorte d'exaltation de moi-même. La prière ne peut être qu'invocation. Comme le disaient les évêques à Lourdes il y a deux ans : « La prière, elle aussi, doit être évangélisée. » La prière peut être centripète. Le seuil de l'accès à la vraie prière est peut-être franchi au moment où on comprend que, d'une certaine manière, c'est d'abord Dieu qui nous prie.

Qu'il y ait un Absolu et qu'il soit bon de s'y unir, peut-être tout homme peut-il s'en rendre compte, mais que cet Absolu se tourne vers l'homme et que celui-ci soit le premier prié, qu'il a à recevoir la prière de Dieu, c'est sans doute la grâce de la prière chrétienne. Cette conviction de la foi chrétienne permet d'écarter, au moins en principe, l'écueil d'une prière qui serait prière à soi-même, et donne à la prière chrétienne sa marque première, qui est l'attente. J'entre dans l'église, je suis là et j'attends ; je ne serais pas entré si je ne savais pas qu'il y avait là quelqu'un, qui allait certainement venir, puisqu'il m'a invité. Je n'entre pas pour « capter » Dieu, mais pour répondre à son appel, L'attendre et Le rencontrer. Si j'ai l'impression qu'Il ne vient pas, cela n'a pas beaucoup d'importance au regard de ma foi : il viendra un autre jour, je le sais par expérience, et d'autres, qui le savent aussi, ne cessent de m'en assurer :

Rester seul avec Dieu... il m'est facile de vous parler, puisque vous m'écoutez ; cela je le sais ; je vois vos yeux, je vois aussi le petit garçon qui joue là ; donc, il y a une communication au niveau humain. Je n'ai pas de mal à vous donner mon temps : un homme a toujours plaisir à ce qu'on l'écoute ! Mais écouter un être que vous ne voyez pas, que vous ne pouvez pas fixer dans les yeux, qui ne vous répond pas, c'est vraiment par excellence de la foi, et c'est pour cela que c'est très difficile.

Les frères sont un chemin vers Dieu

Peu à peu, j'arrive à comprendre que les frères sont pour moi un chemin vers Dieu comme je le suis pour eux. Nous n'avons pas été tellement préparés, dans le passé, à le comprendre, et, sans que cela soit nécessairement conscient dans la pédagogie qu'on nous proposait, le frère était, à la limite, plus un danger qu'une aide ; la relation à autrui était plutôt considérée avec défiance ; on y voyait davantage une possibilité de distraction qu'une possibilité de recueillement, l'occasion d'une affectivité douteuse plus que l'ouverture d'un chemin vers Dieu.

Mais si tout homme est Image de Dieu et reflète un certain visage du Christ qu'il est seul à refléter, et s'il présente un visage d'humanité qui est unique au monde, je dirais en souriant : normalement, la contemplation de ce frère devrait être un chemin vers Dieu, et un chemin privilégié. L'écoute des autres, l'appréciation de leurs paroles, loin de nous détourner de la recherche de Dieu, nous y ramènent ; Dieu se reflète dans ses Images.

Depuis quelques années, je suis beaucoup plus facilement admiratif, même émerveillé — oui, émerveillé —, de mes frères, d'abord, et puis des hommes en général ; je m'aperçois de plus en plus que le regard bienveillant sur autrui est, en général, le regard vrai, que le regard malveillant est le regard faux.

L'homme est bon, et le regarder avec des yeux admiratifs le rend bon. Il y a certes admiration et admiration : des admirations béates, intéressées ou impures, au sens le plus large du terme, mais aussi des admirations enfantines, naïves dans le bon sens du terme ; vous laissez venir à vous toutes les beautés de cet homme et vous êtes capable de lui en renvoyer le reflet, ce qui lui donne confiance. Ce sont là des sources infinies de joie très grande et, peut-être aussi, des voies pour venir à bout de certains conflits.

BIBLIOGRAPHIE

Les textes cités dans cet ouvrage sont extraits ou inspirés des ouvrages suivants :

— *La Règle de saint Benoît* (éd. de Solesmes)
— *Saint Benoît et ses fils,* par Daniel Rops (Ed. Arthème Fayard, 1961)
— *Les mystiques bénédictins,* par Dom Besse (Ed. de Maredsous, 1922)
— *Les saints abbés de Cluny,* présentés par R. Oursel (Ed. du Soleil Levant)
— *Le Christ, Vie de l'âme,* par Dom Columba Marmion (Ed. D.D.B., 1921)
— *La Vie et la Règle de saint Benoît,* par D. Cl. Jean-Nesmy (Ed. du Seuil)
— *Des moines et des hommes,* par Ghislain Lafont (Ed. Stock, 1975)
— *La tradition bénédictine,* textes choisis par G.M. Oury (Ed. C.L.D., 1978)
— *Ce que croyait Benoît,* par G.M. Oury (Ed. Mame, 1974)

On peut lire également :

— *Saint Benoît et son temps* (Ed. Robert Laffont, 1950)
— *Saint Benoît,* par Dom Stefan Hilpisch, photos L. von Matt (Ed. D.D.B. 1960)
— *Saint Benoît et la vie monastique,* par Dom Claude Jean-Nesmy (Ed. du Seuil, 1959)
— *Un homme nommé Benoît,* par Paul Aymard (Ed. D.D.B.)
— *Saint Benoît, patron de l'Europe,* par G.M. Oury (Ed. C.L.D)
— *La saveur de Dieu,* par J.M. Burucoa (Ed. D.D.B.)

Et, pour les jeunes :

— *Saint Benoît et le Journal des moines d'Occident,* par R. Berthier/ M.H. Sigaut, dessins de P.O. Leclercq (Ed. Univers-Media, 1980)
— *Saint Benoît, patron de l'Europe,* par Luce Laurand (Apostolat des Editions, 1979)

TABLES DES PRIÈRES
ET DES TEXTES PRÉSENTÉS

Achevé d'imprimer en octobre 1980 sur les presses de l'imprimerie Laballery et Cie
58500 Clamecy
Dépôt légal : 4e trimestre 1980 — N° d'éditeur : 927 — N° d'imprimeur : 19700
Imprimé en France